CONTES DE LA BÉCASSE

*Né en 1850 au château de Miromesnil (Seine-Maritime),
Guy de Maupassant vit en Normandie pendant son enfance. Étudiant en droit quand éclate la guerre de 1870, il
s'engage. Libéré, il entre au Ministère de la Marine, puis
à l'Instruction publique. Il utilise ses loisirs à écrire et
canoter.*

*Ami de sa famille, Flaubert l'introduit dans les milieux
littéraires (Daudet, les Goncourt, Zola). Le succès de
Boule-de-suif lui ouvre les salons mondains (1880). Malgré
la maladie qui le mine, il publie sans relâche contes et
nouvelles ou romans dont le style sobre et pur le place
au premier rang des écrivains du* XIXᵉ *siècle. Il meurt à
Paris en 1893.*

Parmi ses œuvres les plus célèbres : La maison Tellier
(1881), Mademoiselle Fifi, Contes de la Bécasse, Une
vie *(1883),* Bel-Ami *(1885),* Le Horla *(1887),* Le rosier
de Mme Husson *(1888),* Fort comme la mort *(1889),*
Notre cœur *(1890), etc.*

A la saison de la chasse, le vieux baron des Ravots qui
adorait la bécasse, cette reine des gibiers, en faisait
manger tous les soirs à ses invités. Mais les têtes des
oiseaux, suprême régal, étaient réservées au chasseur que
désignait le hasard. Pour indemniser les déshérités, l'élu
du sort devait leur conter une histoire.

C'est par le biais de cette coutume que Guy de Maupassant présente les seize nouvelles de ce recueil dont les
héros sont les paysans et les hobereaux de sa terre natale,
la Normandie. Gens âpres au travail et plus encore au
gain, « serrés » comme on dit — au point d'aboutir à ces
drames feutrés que sont *Pierrot, En mer* ou *Aux champs.*
Mais si le tragique de la vie forme la trame de la plupart des récits, le côté comique des choses n'a pas été
négligé ainsi qu'en témoignent *Un Normand,* l'ironique
Un coq chanta et *L'aventure de Walter Schnaffs.* Ces
Contes de la bécasse sont une excellente illustration de l'art
de Guy de Maupassant.

ŒUVRES DE GUY DE MAUPASSANT

ROMANS

NOUVELLES

VOYAGES

THÉÂTRE

POÉSIE

Dans Le Livre de Poche :

GUY DE MAUPASSANT

Contes de la Bécasse

ALBIN MICHEL

LA BÉCASSE

Le vieux baron des Ravots avait été pendant quarante ans le roi des chasseurs de sa province. Mais, depuis cinq à six années, une paralysie des jambes le clouait à son fauteuil; il ne pouvait plus que tirer des pigeons de la fenêtre de son salon ou du haut de son grand perron.

Le reste du temps il lisait.

C'était un homme de commerce aimable chez qui était resté beaucoup de l'esprit lettré du dernier siècle. Il adorait les contes, les petits contes polissons, et aussi les histoires vraies arrivées dans son entourage. Dès qu'un ami entrait chez lui, il demandait :

« Eh bien, rien de nouveau? »

Et il savait interroger à la façon du juge d'instruction.

Par les jours de soleil il faisait rouler devant

la porte son large fauteuil pareil à un lit. Un domestique, derrière son dos, tenait les fusils, les chargeait et les passait à son maître; un autre valet, caché dans un massif, lâchait un pigeon de temps en temps, à des intervalles irréguliers, pour que le baron ne fût pas prévenu et demeurât en éveil.

Et, du matin au soir, il tirait les oiseaux rapides, se désolant quand il s'était laissé surprendre, et riant aux larmes quand la bête tombait d'aplomb ou faisait quelque culbute inattendue et drôle. Il se tournait alors vers le garçon qui chargeait les armes, et il demandait, en suffoquant de gaieté :

« Y est-il, celui-là, Joseph! As-tu vu comme il est descendu? »

Et Joseph répondait invariablement :

« Oh! Monsieur le baron ne les manque pas. »

A l'automne, au moment des chasses, il invitait, comme à l'ancien temps, ses amis, et il aimait entendre au loin les détonations. Il les comptait, heureux quand elles se précipitaient. Et, le soir, il exigeait de chacun le récit fidèle de sa journée.

Et on restait trois heures à table en ra-
contant des coups de fusil.

C'étaient d'étranges et invraisemblables aventures, où se complaisait l'humeur hâbleuse des
chasseurs. Quelques-uns avaient fait date et
revenaient régulièrement. L'histoire d'un lapin
que le petit vicomte de Bourril avait manqué
dans son vestibule les faisait se tordre chaque
année · de la même façon. Toutes les cinq
minutes un nouvel orateur prononçait :

« J'entends : « Birr! Birr! » et une compa-
gnie magnifique me part à dix pas. J'ajuste :
pif! paf! j'en vois tomber une pluie, une vraie
pluie. Il y en avait sept! »

Et tous, étonnés, mais réciproquement cré-
dules, s'extasiaient.

Mais il existait dans la maison une vieille coutume, appelée le « conte de la Bécasse ».

Au moment du passage de cette reine des
gibiers, la même cérémonie recommençait à
chaque dîner.

Comme il adorait l'incomparable oiseau, on
en mangeait tous les soirs un par convive; mais
on avait soin de laisser dans un plat toutes les
têtes.

Alors le baron, officiant comme un évêque, se faisait apporter sur une assiette un peu de graisse, oignait avec soin les têtes précieuses, en les tenant par le bout de la mince aiguille qui leur sert de bec. Une chandelle allumée était posée près de lui et tout le monde se taisait dans l'anxiété de l'attente.

Puis il saisissait un des crânes ainsi préparés, le fixait sur une épingle, piquait l'épingle sur un bouchon, maintenait le tout en équilibre au moyen de petits bâtons croisés comme des balanciers et plantait délicatement cet appareil sur un goulot de bouteille en manière de tourniquet.

Tous les convives comptaient ensemble, d'une voix forte :

« Une, — deux, — trois. »

Et le baron, d'un coup de doigt, faisait vivement pivoter ce joujou.

Celui des invités que désignait, en s'arrêtant, le long bec pointu devenait maître de toutes les têtes, régal exquis qui faisait loucher ses voisins.

Il les prenait une à une et les faisait griller sur la chandelle. La graisse crépitait, la peau ris-

solée fumait, et l'élu du hasard croquait le
crâne suiffé en le tenant par le nez et en
poussant des exclamations de plaisir.

Et chaque fois les dîneurs, levant leurs verres,
buvaient à sa santé.

Puis, quand il avait achevé le dernier, il devait,
sur l'ordre du baron, conter une histoire pour
indemniser les déshérités.

Voici quelques-uns de ces récits :

CE COCHON DE MORIN

I

« Ça, mon ami, dis-je à Labarbe, tu viens encore de prononcer ces quatre mots, « ce « cochon de Morin ». Pourquoi, diable, n'ai-je jamais entendu parler de Morin sans qu'on le traitât de « cochon »?

Labarbe, aujourd'hui député, me regarda avec des yeux de chat-huant. « Comment, tu ne sais pas l'histoire de Morin, et tu es de La Rochelle? »

J'avouai que je ne savais pas l'histoire de Morin. Alors Labarbe se frotta les mains et commença son récit.

— Tu as connu Morin, n'est-ce pas, et tu te rappelles son grand magasin de mercerie sur le quai de La Rochelle?

— Oui, parfaitement.

— Eh bien, sache qu'en 1862 ou 63 Morin
alla passer quinze jours à Paris, pour son plaisir,
ou ses plaisirs, mais sous prétexte de renouveler
ses approvisionnements. Tu sais ce que sont,
pour un commerçant de province, quinze jours
de Paris. Cela vous met le feu dans le sang. Tous
les soirs, des spectacles, des frôlements de
femmes, une continuelle excitation d'esprit. On
devient fou. On ne voit plus que danseuses en
maillot, actrices décolletées, jambes rondes,
épaules grasses, tout cela presque à portée de la
main, sans qu'on ose ou qu'on puisse y toucher.
C'est à peine si on goûte, une fois ou deux, à
quelques mets inférieurs. Et l'on s'en va le cœur
encore tout secoué, l'âme émoustillée, avec une
espèce de démangeaison de baisers qui vous
chatouillent les lèvres.

Morin se trouvait dans cet état, quand il prit
son billet pour La Rochelle par l'express de
8 h 40 du soir, et il se promenait plein de
regrets et de trouble dans la grande salle commune du chemin de fer d'Orléans, quand il
s'arrêta net devant une jeune femme qui em-
brassait une vieille dame. Elle avait relevé sa

voilette, et Morin, ravi, murmura : « Bigre, la belle personne! »

Quand elle eut fait ses adieux à la vieille, elle entra dans la salle d'attente, et Morin la suivit, puis elle passa sur le quai, et Morin la suivit encore; puis elle monta dans un wagon vide, et Morin la suivit toujours.

Il y avait peu de voyageurs pour l'express. La locomotive siffla; le train partit. Ils étaient seuls.

Morin la dévorait des yeux. Elle semblait avoir dix-neuf à vingt ans; elle était blonde, grande, d'allure hardie. Elle roula autour de ses jambes une couverture de voyage, et s'étendit sur les banquettes pour dormir.

Morin se demandait : « Qui est-ce? » Et mille suppositions, mille projets lui traversaient l'esprit. Il se disait : « On raconte tant d'aventures de chemin de fer. C'en est une peut-être qui se présente pour moi. Qui sait? Une bonne fortune est si vite arrivée. Il me suffirait peut-être d'être audacieux. N'est-ce pas Danton qui disait : « De l'audace, de l'audace, et toujours « de l'audace. » Si ce n'est pas Danton, c'est Mirabeau. Enfin, qu'importe. Oui, mais je manque d'audace, voilà le hic. Oh! Si on savait, si on pouvait lire dans les âmes! Je parie qu'on passe tous les jours, sans s'en douter, à côté d'occasions magnifiques. Il lui suffirait d'un geste pourtant pour m'indiquer qu'elle ne demande pas mieux... »

Alors, il supposa des combinaisons qui le conduisaient au triomphe. Il imaginait une entrée en rapport chevaleresque; des petits services qu'il lui rendait; une conversation vive, galante, finissait par une déclaration qui finissait par... par ce que tu penses.

La nuit cependant s'écoulait et la belle enfant dormait toujours, tandis que Morin méditait sa chute. Le jour parut, et bientôt le soleil lança son premier rayon, un long rayon clair venu de l'horizon, sur le doux visage de la dormeuse.

Elle s'éveilla, s'assit, regarda la campagne, regarda Morin et sourit. Elle sourit en femme heureuse, d'un air engageant et gai. Morin tressaillit. Pas de doute, c'était pour lui ce sourire-là, c'était bien une invitation discrète, le signal rêvé qu'il attendait. Il voulait dire, ce sourire : « Etes-vous bête, êtes-vous niais, êtes-vous jobard, d'être resté là, comme un pieu, sur votre siège depuis hier soir.

« Voyons, regardez-moi, ne suis-je pas charmante? Et vous demeurez comme ça toute une nuit en tête-à-tête avec une jolie femme sans oser, grand sot. »

Elle souriait toujours en le regardant; elle commençait même à rire; et il perdait la tête, cherchant un mot de circonstance, un compliment, quelque chose à dire enfin, n'importe quoi. Mais il ne trouvait rien. Alors, saisi d'une audace de poltron, il pensa : « Tant pis, je risque tout »; et brusquement, sans crier « gare », il s'avança, les mains tendues, les lèvres gourmandes, et, la saisissant à pleins bras, il l'embrassa.

D'un bond elle fut debout, criant : « Au secours », hurlant d'épouvante. Et elle ouvrit la portière; elle agita ses bras dehors, folle de peur, essayant de sauter, tandis que Morin éperdu, persuadé qu'elle allait se précipiter sur la voie, la retenait par sa jupe en bégayant : « Madame... oh! Madame. »

Le train ralentit sa marche, s'arrêta. Deux employés se précipitèrent aux signaux désespérés de la jeune femme qui tomba dans leurs bras en balbutiant : « Cet homme a voulu... a voulu... me... » Et elle s'évanouit.

On était en gare de Mauzé. Le gendarme présent arrêta Morin.

Quand la victime de sa brutalité eut repris connaissance, elle fit sa déclaration. L'autorité verbalisa. Et le pauvre mercier ne put regagner son domicile que le soir, sous le coup d'une poursuite judiciaire pour outrage aux bonnes mœurs dans un lieu public.

II

J'étais alors rédacteur en chef du *Fanal des Charentes,* et je voyais Morin, chaque soir, au café du Commerce.

Dès le lendemain de son aventure, il vint me trouver ne sachant que faire. Je ne lui cachai pas mon opinion : « Tu n'es qu'un cochon. On ne se conduit pas comme ça. »

Il pleurait; sa femme l'avait battu; et il

voyait son commerce ruiné, son nom dans la
boue, déshonoré, ses amis, indignés, ne le sa-
luant plus. Il finit par me faire pitié, et j'ap-
pelai mon collaborateur Rivet, un petit homme
goguenard et de bon conseil, pour prendre ses
avis.

Il m'engagea à voir le procureur impérial, qui
était de mes amis. Je renvoyai Morin chez lui
et je me rendis chez ce magistrat.

J'appris que la femme outragée était une
jeune fille, Mlle Henriette Bonnel, qui venait
de prendre à Paris ses brevets d'institutrice et
qui, n'ayant plus ni père ni mère, passait ses
vacances chez son oncle et sa tante, braves petits
bourgeois de Mauzé.

Ce qui rendait grave la situation de Morin,
c'est que l'oncle avait porté plainte. Le ministère
public consentait à laisser tomber l'affaire si
cette plainte était retirée. Voilà ce qu'il fallait
obtenir.

Je retournai chez Morin. Je le trouvai dans
son lit, malade d'émotion et de chagrin. Sa
femme, une grande gaillarde osseuse et barbue,
le maltraitait sans repos. Elle m'introduisit dans
la chambre en me criant par la figure : « Vous

venez voir ce cochon de Morin? Tenez, le voilà, le coco! »

Et elle se planta devant le lit, les poings sur les hanches. J'exposai la situation; et il me supplia d'aller trouver la famille. La mission était délicate; cependant je l'acceptai. Le pauvre diable ne cessait de répéter : « Je t'assure que ne je l'ai même pas embrassée, non, pas même. Je te le jure! »

Je répondis : « C'est égal, tu n'es qu'un cochon. » Et je pris mille francs qu'il m'aban-bandonna pour les employer comme je le jugerais convenable.

Mais comme je ne tenais pas à m'aventurer seul dans la maison des parents, je priai Rivet de m'accompagner. Il y consentit, à la condition qu'on partirait immédiatement, car il avait, le lendemain dans l'après-midi, une affaire urgente à La Rochelle.

Et, deux heures plus tard, nous sonnions à la porte d'une jolie maison de campagne. Une belle jeune fille vint nous ouvrir. C'était elle assurément. Je dis tout bas à Rivet : « Sacrebleu, je commence à comprendre Morin. »

L'oncle, M. Tonnelet, était justement un

abonné du *Fanal,* un fervent coreligionnaire politique qui nous reçut à bras ouverts, nous féli-
cita, nous congratula, nous serra les mains, en-
thousiasmé d'avoir chez lui les deux rédacteurs
de son journal. Rivet me souffla dans l'oreille :
« Je crois que nous pourrons arranger l'affaire
de ce cochon de Morin. »

La nièce s'était éloignée; et j'abordai la ques-
tion délicate. J'agitai le spectre du scandale; je
fis valoir la dépréciation inévitable que subirait
la jeune personne après le bruit d'une pareille
affaire, car on ne croirait jamais à un simple
baiser.

Le bonhomme semblait indécis; mais il ne
pouvait rien décider sans sa femme qui ne ren-
trerait que tard dans la soirée. Tout à coup
il poussa un cri de triomphe : « Tenez, j'ai une
idée excellente. Je vous tiens, je vous garde.
Vous allez dîner et coucher ici tous les deux;
et, quand ma femme sera revenue, j'espère que
nous nous entendrons. »

Rivet résistait, mais le désir de tirer d'affaire
ce cochon de Morin le décida, et nous accep-
tâmes l'invitation.

L'oncle se leva radieux, appela sa nièce, et

nous proposa une promenade dans sa propriété, en proclamant : « A ce soir les affaires sérieuses. »

Rivet et lui se mirent à parler politique. Quant à moi, je me trouvai bientôt à quelques pas en arrière, à côté de la jeune fille. Elle était vraiment charmante, charmante!

Avec des précautions infinies, je commençai à lui parler de son aventure pour tâcher de m'en faire une alliée.

Mais elle ne parut pas confuse le moins du monde; elle m'écoutait de l'air d'une personne qui s'amuse beaucoup.

Je lui disais : « Songez donc, mademoiselle, à tous les ennuis que vous aurez. Il vous faudra comparaître devant le tribunal, affronter les regards malicieux, parler en face de tout ce monde, raconter publiquement cette triste scène du wagon. Voyons, entre nous, n'auriez-vous pas mieux fait de ne rien dire, de remettre à sa place ce polisson sans appeler les employés; et de changer simplement de voiture? »

Elle se mit à rire. « C'est vrai ce que vous dites! mais que voulez-vous? J'ai eu peur; et, quand on a peur, on ne raisonne plus. Après

avoir compris la situation, j'ai bien regretté
mes cris; mais il était trop tard. Songez aussi
que cet imbécile s'est jeté sur moi comme un
furieux, sans prononcer un mot, avec une figure
de fou. Je ne savais même pas ce qu'il me
voulait. »

Elle me regardait en face, sans être troublée
ou intimidée. Je me disais : « Mais c'est une
gaillarde, cette fille. Je comprends que ce cochon
de Morin se soit trompé. »

Je repris en badinant : « Voyons, mademoiselle, avouez qu'il était excusable, car, enfin,
on ne peut pas se trouver en face d'une aussi
belle personne que vous sans éprouver le désir
absolument légitime de l'embrasser. »

Elle rit plus fort, toutes les dents au vent.
« Entre le désir et l'action, monsieur, il y a
place pour le respect. »

La phrase était drôle, bien que peu claire.
Je demandai brusquement : « Eh bien, voyons,
si je vous embrassais, moi, maintenant, qu'est-ce
que vous feriez? »

Elle s'arrêta pour me considérer du haut en
bas, puis elle dit tranquillement : « Oh! vous, ce
n'est pas la même chose. »

Je le savais bien, parbleu, que ce n'était pas
la même chose, puisqu'on m'appelait dans toute
la province « le beau Labarbe ». J'avais trente
ans, alors, mais je demandai : « Pourquoi ça? »

Elle haussa les épaules, et répondit : « Tiens!
parce que vous n'êtes pas aussi bête que lui. »
Puis elle ajouta, en me regardant en dessous :
« Ni aussi laid. »

Avant qu'elle eût pu faire un mouvement
pour m'éviter, je lui avais planté un bon baiser
sur la joue. Elle sauta de côté, mais trop tard.
Puis elle dit : « Eh bien, vous n'êtes pas gêné
non plus, vous. Mais ne recommencez pas ce
jeu-là. »

Je pris un air humble et je dis à mi-voix :
« Oh! Mademoiselle, quant à moi, si j'ai un
désir au cœur, c'est de passer devant un tribunal
pour la même cause que Morin. »

Elle demanda à son tour : « Pourquoi ça? »
Je la regardai au fond des yeux sérieusement.
« Parce que vous êtes une des plus belles créa-
tures qui soient; parce que ce serait pour moi
un brevet, un titre, une gloire, que d'avoir
voulu vous violenter. Parce qu'on dirait, après
vous avoir vue : « Tiens, Labarbe n'a pas volé

« ce qui lui arrive, mais il a de la chance tout
« de même. »

Elle se remit à rire de tout son cœur.

« Etes-vous drôle? » Elle n'avait pas fini le
mot *drôle* que je la tenais à pleins bras et je lui
jetais des baisers voraces partout où je trouvais
une place, dans les cheveux, sur le front, sur
les yeux, sur la bouche parfois, sur les joues,
par toute la tête, dont elle découvrait toujours
malgré elle un coin pour garantir les autres.

A la fin, elle se dégagea, rouge et blessée.
« Vous êtes un grossier, monsieur, et vous me
faites repentir de vous avoir écouté. »

Je lui saisis la main un peu confus, balbutiant : « Pardon, pardon, mademoiselle. Je vous
ai blessée; j'ai été brutal! Ne m'en voulez pas.
Si vous saviez?... » Je cherchais vainement une
excuse.

Elle prononça au bout d'un moment : « Je
n'ai rien à savoir, monsieur. »

Mais j'avais trouvé; je m'écriai : « Mademoiselle, voici un an que je vous aime! »

Elle fut vraiment surprise et releva les yeux.
Je repris : « Oui, mademoiselle, écoutez-moi. Je
ne connais pas Morin et je me moque bien de

lui. Peu m'importe qu'il aille en prison et devant les tribunaux. Je vous ai vue ici, l'an passé; vous étiez là-bas devant la grille. J'ai reçu une secousse en vous apercevant et votre image ne m'a plus quitté. Croyez-moi ou ne me croyez pas, peu m'importe. Je vous ai trouvée adorable; votre souvenir me possédait; j'ai voulu vous revoir; j'ai saisi le prétexte de cette bête de Morin. Et me voici. Les circonstances m'ont fait passer les bornes; pardonnez-moi, je vous en supplie, pardonnez-moi. »

Elle guettait la vérité dans mon regard, prête à sourire de nouveau; et elle murmura : « Blagueur! »

Je levai la main, et, d'un ton sincère (je crois même que j'étais sincère) : « Je vous jure que je ne mens pas. »

Elle dit simplement : « Allons donc! »

Nous étions seuls, tout seuls, Rivet et l'oncle ayant disparu dans les allées tournantes; et je lui fis une vraie déclaration, longue, douce, en lui pressant et lui baisant les doigts. Elle écoutait cela comme une chose agréable et nouvelle, sans bien savoir ce qu'elle en devait croire.

Je finissais par me sentir troublé, par penser

ce que je disais; j'étais pâle, oppressé, frisson-
nant; et, doucement, je lui pris la taille.

Je lui parlais tout bas dans les petits cheveux
frisés de l'oreille. Elle semblait morte, tant elle
restait rêveuse.

Puis sa main rencontra la mienne et la serra;
je pressai lentement sa taille d'une étreinte
tremblante et toujours grandissante; elle ne remuait plus du tout; j'effleurais sa joue de ma
bouche; et tout à coup mes lèvres, sans chercher, trouvèrent les siennes. Ce fut un long,
long baiser; et il aurait encore duré longtemps;
si je n'avais entendu « hum, hum » à quelques
pas derrière moi.

Elle s'enfuit à travers un massif. Je me retournai et j'aperçus Rivet qui me rejoignait.

Il se campa au milieu du chemin, et, sans
rire : « Eh bien, c'est comme ça que tu ar-
ranges l'affaire de ce cochon de Morin? »

Je répondis avec fatuité : « On fait ce qu'on
peut, mon cher. Et l'oncle? Qu'en as-tu obtenu?
Moi, je réponds de la nièce. »

Rivet déclara : « J'ai été moins heureux avec
l'oncle. »

Et je lui pris le bras pour rentrer.

III

Le dîner acheva de me faire perdre la tête.
J'étais à côté d'elle et ma main sans cesse rencontrait sa main sous la nappe; mon pied pres-
sait son pied; nos regards se joignaient, se mêlaient.

On fit ensuite un tour au clair de lune et
je lui murmurai dans l'âme toutes les tendresses
qui me montaient du cœur. Je la tenais serrée
contre moi, l'embrassant à tout moment, mouil-
lant mes lèvres aux siennes. Devant nous, l'oncle
et Rivet discutaient. Leurs ombres les suivaient
gravement sur le sable des chemins.

On rentra. Et bientôt l'employé du télégraphe
apporta une dépêche de la tante annonçant
qu'elle ne reviendrait que le lendemain matin,
à sept heures, par le premier train.

L'oncle dit : « Eh bien, Henriette, va montrer leurs chambres à ces messieurs. » On serra
la main du bonhomme et on monta. Elle nous
conduisit d'abord dans l'appartement de Rivet,
et il me souffla dans l'oreille : « Pas de danger

qu'elle nous ait menés chez toi d'abord. » Puis elle me guida vers mon lit. Dès qu'elle fut seule avec moi je la saisis de nouveau dans mes bras tâchant d'affoler sa raison et de culbuter sa résistance. Mais, quand elle se sentit tout près de défaillir, elle s'enfuit.

Je me glissai entre mes draps, très contrarié, très agité, et très penaud, sachant bien que je ne dormirais guère, cherchant quelle maladresse j'avais pu commettre, quand on heurta doucement ma porte.

Je demandai : « Qui est là? »

Une voix légère répondit : « Moi. »

Je me vêtis à la hâte; j'ouvris; elle entra. « J'ai oublié, dit-elle, de vous demander ce que vous prenez le matin : du chocolat, du thé, ou du café? »

Je l'avais enlacée impétueusement, la dévorant de caresses, bégayant : « Je prends... je prends... je prends... » Mais elle me glissa entre les bras, souffla ma lumière, et disparut.

Je restai seul, furieux, dans l'obscurité, cherchant des allumettes, n'en trouvant pas. J'en découvris enfin et sortis dans le corridor, à moitié fou, mon bougeoir à la main.

Qu'allais-je faire? Je ne raisonnais plus; je voulais la trouver; je la voulais. Et je fis quelques pas sans réfléchir à rien. Puis, je pensai brusquement : « Mais si j'entre chez l'oncle? que dirais-je?... » Et je demeurai immobile, le cerveau vide, le cœur battant. Au bout de plusieurs secondes, la réponse me vint : « Parbleu! je dirai que je cherchais la chambre de Rivet pour lui parler d'une chose urgente. »

Et je me mis à inspecter les portes m'efforçant de découvrir la sienne, à elle. Mais rien ne pouvait me guider. Au hasard, je pris une clef que je tournai. J'ouvris, j'entrai... Henriette, assise dans son lit, effarée, me regardait.

Alors je poussai doucement le verrou; et, m'approchant sur la pointe des pieds, je lui dis : « J'avais oublié, mademoiselle, de vous demander quelque chose à lire. » Elle se débattait; mais j'ouvris bientôt le livre que je cherchais. Je n'en dirai pas le titre. C'était vraiment le plus merveilleux des romans, et le plus divin des poèmes.

Une fois tournée la première page, elle me le laissa parcourir à mon gré; et j'en feuilletai

tant de chapitres que nos bougies s'usèrent jusqu'au bout.

Puis, après l'avoir remerciée, je regagnais, à
pas de loup, ma chambre, quand une main brutale m'arrêta, et une voix, celle de Rivet, me
chuchota dans le nez : « Tu n'as donc pas fini
d'arranger l'affaire de ce cochon de Morin? »

Dès sept heures du matin, elle m'apportait
elle-même une tasse de chocolat. Je n'en ai
jamais bu de pareil. Un chocolat à s'en faire
mourir, moelleux, velouté, parfumé, grisant.
Je ne pouvais ôter ma bouche des bords déli-
cieux de sa tasse.

A peine la jeune fille était-elle sortie que
Rivet entra. Il semblait un peu nerveux, agacé
comme un homme qui n'a guère dormi; il me
dit d'un ton maussade : « Si tu continues, tu
sais, tu finiras par gâter l'affaire de ce cochon
de Morin. »

A huit heures, la tante arrivait. La discussion
fut courte. Les braves gens retiraient leur
plainte, et je laisserais cinq cents francs aux
pauvres du pays.

Alors, on voulut nous retenir à passer la journée. On organiserait même une excursion pour

aller visiter des ruines. Henriette, derrière le dos de ses parents, me faisait des signes de tête : « Oui, restez donc. » J'acceptais, mais Rivet s'acharna à s'en aller.

Je le pris à part; je le priai, je le sollicitai; je lui disais : « Voyons, mon petit Rivet, fais cela pour moi. » Mais il semblait exaspéré et me répétait dans la figure : « J'en ai assez, entends-tu, de l'affaire de ce cochon de Morin. »

Je fus bien contraint de partir aussi. Ce fut un des moments les plus durs de ma vie. J'aurais bien arrangé cette affaire-là pendant toute mon existence.

Dans le wagon, après les énergiques et muettes poignées de main des adieux, je dis à Rivet : « Tu n'es qu'une brute. » Il répondit : « Mon petit, tu commençais à m'agacer bougrement. »

En arrivant aux bureaux du *Fanal*, j'aperçus une foule qui nous attendait... On cria, dès qu'on nous vit : « Eh bien, avez-vous arrangé l'affaire de ce cochon de Morin? »

Tout La Rochelle en était troublé. Rivet, dont la mauvaise humeur s'était dissipée en route, eut grand-peine à ne pas rire en déclarant : « Oui, c'est fait, grâce à Labarbe. »

Et nous allâmes chez Morin.

Il était étendu dans un fauteuil, avec des sinapismes aux jambes et des compresses d'eau froide sur le crâne, défaillant d'angoisse. Et il toussait sans cesse, d'une petite toux d'agonisant, sans qu'on sût d'où lui était venu ce rhume. Sa femme le regardait avec des yeux de tigresse prête à le dévorer.

Dès qu'il nous aperçut, il eut un tremblement qui lui secouait les poignets et les genoux. Je dis : « C'est arrangé, salaud, mais ne recommence pas. »

Il se leva, suffoquant, me prit les mains, les baisa comme celles d'un prince, pleura, faillit perdre connaissance, embrassa Rivet, embrassa même Mme Morin qui le rejeta d'une poussée dans son fauteuil.

Mais il ne se remit jamais de ce coup-là, son émotion avait été trop brutale.

On ne l'appelait plus dans toute la contrée que « ce cochon de Morin », et cette épithète le traversait comme un coup d'épée chaque fois qu'il l'entendait.

Quand un voyou dans la rue criait : « Cochon », il retournait la tête par instinct. Ses amis

le criblaient de plaisanteries horribles, lui demandant chaque fois qu'ils mangeaient du
jambon : « Est-ce du tien? »

Il mourut deux ans plus tard.

Quant à moi, me présentant à la députation,
en 1875, j'allai faire une visite intéressée au
nouveau notaire de Tousserre, maître Belloncle.
Une grande femme opulente et belle me reçut.

« Vous ne me reconnaissez pas? » dit-elle.

Je balbutiai : « Mais... non... madame.

— Henriette Bonnel.

— Ah! » Et je me sentis devenir pâle.

Elle semblait parfaitement à son aise, et souriait en me regardant.

Dès qu'elle m'eut laissé seul avec son mari, il
me prit les mains, les serrant à les broyer :
« Voici longtemps, cher monsieur, que je veux
aller vous voir. Ma femme m'a tant parlé de
vous. Je sais... oui, je sais en quelle circonstance
douloureuse vous l'avez connue, je sais aussi
comme vous avez été parfait, plein de délica-
tesse, de tact, de dévouement dans l'affaire... »
Il hésita, puis prononça plus bas, comme s'il eût
articulé un mot grossier : « ... Dans l'affaire de
ce cochon de Morin. »

LA FOLLE

A Robert de Bonnières.

TENEZ, dit M. Mathieu d'Endolin, les bécasses me rappellent une bien sinistre anecdote de la guerre.

Vous connaissez ma propriété dans le faubourg de Cormeil. Je l'habitais au moment de l'arrivée des Prussiens.

J'avais alors pour voisine une espèce de folle, dont l'esprit s'était égaré sous les coups du malheur. Jadis, à l'âge de vingt-cinq ans, elle avait perdu, en un seul mois, son père, son mari et son enfant nouveau-né.

Quand la mort est entrée une fois dans une maison, elle y revient presque toujours immédiatement, comme si elle connaissait la porte.

La pauvre jeune femme, foudroyée par le chagrin, prit le lit, délira pendant six semaines. Puis, une sorte de lassitude calme succédant à

cette crise violente, elle resta sans mouvement,
mangeant à peine, remuant seulement les yeux.
Chaque fois qu'on voulait la faire lever, elle
criait comme si on l'eût tuée. On la laissa donc
toujours couchée, ne la tirant de ses draps que
pour les soins de sa toilette et pour retourner
ses matelas.

Une vieille bonne restait près d'elle, la faisant boire de temps en temps ou mâcher un peu
de viande froide. Que se passait-il dans cette
âme désespérée? On ne le sut jamais; car elle
ne parla plus. Songeait-elle aux morts? Rêvas-
sait-elle tristement, sans souvenir précis? Ou
bien sa pensée anéantie restait-elle immobile
comme de l'eau sans courant?

Pendant quinze années, elle demeura ainsi
fermée et inerte.

La guerre vint; et, dans les premiers jours de
décembre, les Prussiens pénétrèrent à Cormeil.

Je me rappelle cela comme d'hier. Il gelait à
fendre les pierres; et j'étais étendu moi-même
dans un fauteuil, immobilisé par la goutte,
quand j'entendis le battement lourd et rythmé
de leurs pas. De ma fenêtre, je les vis passer.

Ils défilaient interminablement, tous pareils,

avec ce mouvement de pantins qui leur est par-
ticulier. Puis les chefs distribuèrent leurs
hommes aux habitants. J'en eus dix-sept. La
voisine, la folle, en avait douze, dont un commandant, vrai soudard, violent, bourru.

Pendant les premiers jours, tout se passa nor-
malement. On avait dit à l'officier d'à côté que
la dame était malade; et il ne s'en inquiéta
guère. Mais bientôt cette femme qu'on ne voyait
jamais l'irrita, il s'informa de la maladie; on
répondit que son hôtesse était couchée depuis
quinze ans par suite d'un violent chagrin. Il
n'en crut rien sans doute, et s'imagina que la
pauvre insensée ne quittait pas son lit par fierté,
pour ne pas voir les Prussiens, et ne leur point
parler, et ne les point frôler.

Il exigea qu'elle le reçut; on le fit entrer dans
sa chambre. Il demanda, d'un ton brusque :

« Je vous prierai, matame, de fous lever et
de tescentre pour qu'on fous foie. »

Elle tourna vers lui ses yeux vagues, ses yeux
vides, et ne répondit pas.

Il reprit :

« Che ne tolérerai bas d'insolence. Si fous ne
fous levez pas de ponne volonté, che trouverai

pien un moyen de fous faire bromener toute seule. »

Elle ne fit pas un geste, toujours immobile comme si elle ne l'eût pas vu.

Il rageait, prenant ce silence calme pour une marque de mépris suprême. Et il ajouta :

« Si vous n'êtes pas tescentue temain... »
Puis, il sortit.

Le lendemain, la vieille bonne, éperdue, la voulut habiller; mais la folle se mit à hurler en se débattant. L'officier monta bien vite; et la servante, se jetant à ses genoux, cria :

« Elle ne veut pas. Monsieur, elle ne veut pas, Pardonnez-lui; elle est si malheureuse. »

Le soldat restait embarrassé, n'osant, malgré sa colère, la faire tirer du lit par ses hommes. Mais soudain il se mit à rire et donna des ordres en allemand.

Et bientôt on vit sortir un détachement qui soutenait un matelas comme on porte un blessé. Dans ce lit qu'on n'avait point défait, la folle, toujours silencieuse, restait tranquille, indifférente aux événements, tant qu'on la laissait couchée. Un homme par-derrière portait un paquet de vêtements féminins.

Et l'officier prononça en se frottant les mains :

« Nous ferrons pien si vous poufez bas vous hapiller toute seule et faire une bétite bromenate. »

Puis on vit s'éloigner le cortège dans la direction de la forêt d'Imauville.

Deux heures plus tard les soldats revinrent tout seuls.

On ne revit plus la folle. Qu'en avaient-ils fait? Où l'avaient-ils portée? On ne le sut jamais.

La neige tombait maintenant jour et nuit, ensevelissant la plaine et les bois sous un linceul de mousse glacée. Les loups venaient hurler jusqu'à nos portes.

La pensée de cette femme perdue me hantait; et je fis plusieurs démarches auprès de l'autorité prussienne, afin d'obtenir des renseignements. Je faillis être fusillé.

Le printemps revint. L'armée d'occupation s'éloigna. La maison de ma voisine restait fermée; l'herbe drue poussait dans les allées.

La vieille bonne était morte pendant l'hiver. Personne ne s'occupait plus de cette aventure; moi seul y songeais sans cesse.

Qu'avaient-ils fait de cette femme? s'était-elle

enfuie à travers les bois! L'avait-on recueillie quelque part, et gardée dans un hôpital sans pouvoir obtenir d'elle aucun renseignement. Rien ne venait alléger mes doutes; mais, peu à peu, le temps apaisa le souci de mon cœur.

Or, à l'automne suivant, les bécasses passèrent en masse; et, comme ma goutte me laissait un peu de répit, je me traînai jusqu'à la forêt. J'avais déjà tué quatre ou cinq oiseaux à long bec, quand j'en abattis un qui disparut dans un fossé plein de branches. Je fus obligé d'y descendre pour y ramasser ma bête. Je la trouvai tombée auprès d'une tête de mort. Et brusquement le souvenir de la folle m'arriva dans la poitrine comme un coup de poing. Bien d'autres avaient expiré dans ces bois peut-être en cette année sinistre; mais je ne sais pourquoi, j'étais sûr, sûr, vous dis-je, que je rencontrais la tête de cette misérable maniaque.

Et soudain je compris, je devinai tout. Ils l'avaient abandonnée sur ce matelas, dans la forêt froide et déserte; et, fidèle à son idée fixe, elle s'était laissée mourir sous l'épais et léger duvet des neiges et sans remuer le bras ou la jambe.

Puis les loups l'avaient dévorée.

Et les oiseaux avaient fait leur nid avec la laine de son lit déchiré.

J'ai gardé ce triste ossement. Et je fais des vœux pour que nos fils ne voient plus jamais de guerre.

PIERROT

A Henri Roujon.

MADAME LEFÈVRE était une dame de campagne, une veuve, une de ces demi-paysannes à rubans et à chapeaux à falbalas, de ces personnes qui parlent avec des cuirs, prennent en public des airs grandioses, et cachent une âme de brute prétentieuse sous des dehors comiques et cha-marrés, comme elles dissimulent leurs grosses mains rouges sous des gants de soie écrue.

Elle avait pour servante une brave campa-gnarde toute simple, nommée Rose.

Les deux femmes habitaient une petite mai-son à volets verts, le long d'une route, en Nor-mandie, au centre du pays de Caux.

Comme elles possédaient, devant l'habitation, un étroit jardin, elles cultivaient quelques lé-gumes.

Or, une nuit, on lui vola une douzaine.
d'oignons.

Dès que Rose s'aperçut du larcin, elle courut
prévenir madame, qui descendit en jupe de
laine. Ce fut une désolation et une terreur. On
avait volé, volé Mme Lefèvre! Donc, on volait
dans le pays, puis on pouvait revenir.

Et les deux femmes effarées contemplaient les
traces de pas, bavardaient, supposaient des
choses : « Tenez, ils ont passé par là. Ils ont
mis leurs pieds sur le mur; ils ont sauté dans la
plate-bande. »

Et elles s'épouvantaient pour l'avenir.
Comment dormir tranquilles maintenant!

Le bruit du vol se répandit. Les voisins arri-
vèrent, constatèrent, discutèrent à leur tour; et
les deux femmes expliquaient à chaque nouveau
venu leurs observations et leurs idées.

Un fermier d'à côté leur offrit ce conseil :
« Vous devriez avoir un chien. »

C'était vrai, cela; elles devraient avoir un
chien, quand ce ne serait que pour donner
l'éveil. Pas un gros chien, Seigneur! Que fe-
raient-elles d'un gros chien! Il les ruinerait en
nourriture. Mais un petit chien (en Normandie,

on prononce *quin*), un petit freluquet de *quin*
qui jappe.

Dès que tout le monde fut parti, Mme Lefèvre discuta longtemps cette idée de chien. Elle
faisait, après réflexion, mille objections, terrifiée
par l'image d'une jatte pleine de pâtée; car
elle était de cette race parcimonieuse de dames
campagnardes qui portent toujours des centimes dans leur poche pour faire l'aumône osten-
siblement aux pauvres des chemins, et donner
aux quêtes du dimanche.

Rose, qui aimait les bêtes, apporta ses raisons
et les défendit avec astuce. Donc il fut décidé
qu'on aurait un chien, un tout petit chien.

On se mit à sa recherche, mais on n'en trouvait que des grands, des avaleurs de soupe à
faire frémir. L'épicier de Rolleville en avait
bien un, tout petit; mais il exigeait qu'on le
lui payât deux francs, pour couvrir ses frais
d'élevage. Mme Lefèvre déclara qu'elle voulait
bien nourrir un « quin », mais qu'elle n'en
achèterait pas.

Or, le boulanger, qui savait les événements,
apporta un matin, dans sa voiture, un étrange
petit animal tout jaune, presque sans pattes,

avec un corps de crocodile, une tête de renard
et une queue en trompette, un vrai panache,
grand comme tout le reste de sa personne. Un
client cherchait à s'en défaire. Mme Lefèvre
trouva fort beau ce roquet immonde, qui ne
coûtait rien. Rose l'embrassa, puis demanda comment on le nommait. Le boulanger répondit :
« Pierrot. »

Il fut installé dans une vieille caisse à savon
et on lui offrit d'abord de l'eau à boire. Il but.
On lui présenta ensuite un morceau de pain.
Il mangea. Mme Lefèvre, inquiète, eut une
idée : « Quand il sera bien accoutumé à la
maison, on le laissera libre. Il trouvera à manger en rôdant dans le pays. »

On le laissa libre, en effet, ce qui ne l'empêcha point d'être affamé. Il ne jappait d'ailleurs
que pour réclamer sa pitance; mais, dans ce cas,
il jappait avec acharnement.

Tout le monde pouvait entrer dans le jardin.
Pierrot allait caresser chaque nouveau venu, et
demeurait absolument muet.

Mme Lefèvre cependant s'était accoutumée à
cette bête. Elle en arrivait même à l'aimer, et
à lui donner de sa main, de temps en temps, des

bouchées de pain trempées dans la sauce de son fricot.

Mais elle n'avait nullement songé à l'impôt, et quand on lui réclama huit francs — huit francs, madame! — pour ce freluquet de *quin* qui ne jappait seulement point, elle faillit s'évanouir de saisissement.

Il fut immédiatement décidé qu'on se débarrasserait de Pierrot. Personne n'en voulut. Tous les habitants le refusèrent à dix lieues aux environs. Alors on se résolut, faute d'autre moyen, à lui faire « piquer du mas ».

« Piquer du mas », c'est « manger de la marne ». On fait piquer du mas à tous les chiens dont on veut se débarrasser.

Au milieu d'une vaste plaine, on aperçoit une espèce de hutte, ou plutôt un tout petit toit de chaume, posé sur le sol. C'est l'entrée de la marnière. Un grand puits tout droit s'enfonce jusqu'à vingt mètres sous terre, pour aboutir à une série de longues galeries de mines.

On descend une fois par an dans cette carrière, à l'époque où l'on marne les terres. Tout le reste du temps elle sert de cimetière aux chiens condamnés; et souvent, quand on passe auprès de l'orifice, des hurlements plaintifs, des aboiements furieux ou désespérés, des appels lamentables montent jusqu'à vous.

Les chiens des chasseurs et des bergers s'enfuient avec épouvante des abords de ce trou gémissant; et, quand on se penche au-dessus, il sort de là une abominable odeur de pourriture.

Des drames affreux s'y accomplissent dans l'ombre.

Quand une bête agonise depuis dix à douze jours dans le fond, nourrie par les restes immondes de ses devanciers, un nouvel animal, plus gros, plus vigoureux certainement, est précipité tout à coup. Ils sont là, seuls, affamés, les yeux luisants. Ils se guettent, se suivent, hésitent, anxieux. Mais la faim les presse; ils s'attaquent, luttent longtemps, acharnés; et le plus fort mange le plus faible, le dévore vivant.

Quand il fut décidé qu'on ferait « piquer du mas » à Pierrot, on s'enquit d'un exécuteur. Le cantonnier qui binait la route demanda six sous pour la course. Cela parut follement exagéré à Mme Lefèvre. Le goujat du voisin se contentait de cinq sous; c'était trop encore; et, Rose ayant fait observer qu'il valait mieux

qu'elles le portassent elles-mêmes, parce qu'ainsi
il ne serait pas brutalisé en route et averti de
son sort, il fut résolu qu'elles iraient toutes les
deux à la nuit tombante.

On lui offrit, ce soir-là, une bonne soupe
avec un doigt de beurre. Il l'avala jusqu'à la
dernière goutte; et, comme il remuait la queue
de contentement, Rose le prit dans son tablier.

Elles allaient à grands pas, comme des marau-
deuses, à travers la plaine. Bientôt elles aperçurent la marnière et l'atteignirent; Mme Lefèvre se pencha pour écouter si aucune bête ne
gémissait. — Non — il n'y en avait pas; Pierrot
serait seul. Alors Rose, qui pleurait, l'embrassa,
puis le lança dans le trou; et elles se penchèrent
toutes deux, l'oreille tendue.

Elles entendirent d'abord un bruit sourd;
puis la plainte aiguë, déchirante, d'une bête
blessée, puis une succession de petits cris de
douleur, puis des appels désespérés, des supplications de chien qui implorait, la tête levée vers
l'ouverture.

Il jappait, oh! il jappait!

Elles furent saisies de remords, d'épouvante,
d'une peur folle et inexplicable; et elles se sau-

vèrent en courant. Et, comme Rose allait plus
vite, Mme Lefèvre criait : « Attendez-moi, Rose,
attendez-moi! »

Leur nuit fut hantée de cauchemars épou-
vantables.

Mme Lefèvre rêva qu'elle s'asseyait à table
pour manger la soupe, mais, quand elle découvrait la soupière, Pierrot était dedans. Il s'élan-
çait, et la mordait au nez.

Elle se réveilla et crut l'entendre japper encore. Elle écouta; elle s'était trompée.

Elle s'endormit de nouveau et se trouva sur
une grande route, une route interminable,
qu'elle suivait. Tout à coup, au milieu du
chemin, elle aperçut un panier, un grand panier de fermier, abandonné; et ce panier lui faisait peur.

Elle finissait cependant par l'ouvrir, et Pierrot, blotti dedans, lui saisissait la main, ne la
lâchait plus; et elle se sauvait éperdue, portant
ainsi au bout du bras le chien suspendu, la
gueule serrée.

Au petit jour, elle se leva, presque folle, et
courut à la marnière.

Il jappait; il jappait encore, il avait jappé

toute la nuit. Elle se mit à sangloter et l'appela avec mille petits noms caressants. Il répondit avec toutes les inflexions tendres de sa voix de chien.

Alors elle voulut le revoir, se promettant de le rendre heureux jusqu'à sa mort.

Elle courut chez le puisatier chargé de l'extraction de la marne, et elle lui raconta son cas. L'homme écoutait sans rien dire. Quand elle eut fini, il prononça : « Vous voulez votre *quin*? Ce sera quatre francs. »

Elle eut un sursaut; toute sa douleur s'envola du coup.

« Quatre francs! vous vous en feriez mourir! quatre francs! »

Il répondit : « Vous croyez que j'vas apporter mes cordes, mes manivelles, et monter tout ça, et m'en aller là-bas avec mon garçon et m'faire mordre encore par votre maudit *quin,* pour l'plaisir de vous le r'donner? fallait pas l'jeter. »

Elle s'en alla, indignée. — Quatre francs!

Aussitôt rentrée, elle appela Rose et lui dit les prétentions du puisatier. Rose, toujours résignée, répétait : « Quatre francs! c'est de l'argent, madame. »

Puis, elle ajouta : « Si on lui jetait à manger, à ce pauvre *quin,* pour qu'il ne meure pas comme ça? »

Mme Lefèvre approuva, toute joyeuse; et les voilà reparties, avec un gros morceau de pain beurré.

Elles le coupèrent par bouchées qu'elles lançaient l'une après l'autre, parlant tour à tour à Pierrot. Et si tôt que le chien avait achevé un morceau, il jappait pour réclamer le suivant.

Elles revinrent le soir, puis le lendemain, tous les jours. Mais elles ne faisaient plus qu'un voyage.

Or, un matin, au moment de laisser tomber la première bouchée, elles entendirent tout à coup un aboiement formidable dans le puits. Ils étaient deux! On avait précipité un autre chien, un gros!

Rose cria : « Pierrot! » Et Pierrot jappa, jappa. Alors on se mit à jeter la nourriture; mais chaque fois elles distinguaient parfaitement la bousculade terrible, puis les cris plaintifs de Pierrot mordu par son compagnon, qui mangeait tout, étant le plus fort.

Elles avaient beau spécifier : « C'est pour toi,

Pierrot! » Pierrot, évidemment, n'avait rien.

Les deux femmes, interdites, se regardaient; et Mme Lefèvre prononça d'un ton aigre : « Je ne peux pourtant pas nourrir tous les chiens qu'on jettera là-dedans. Il faut y renoncer. »

Et, suffoquée à l'idée de tous ces chiens vivant à ses dépens, elle s'en alla, emportant même ce qui restait du pain qu'elle se mit à manger en marchant.

Rose la suivit en s'essuyant les yeux du coin de son tablier bleu.

MENUET

A Paul Bourget.

LES grands malheurs ne m'attristent guère, dit
Jean Bridelle, un vieux garçon qui passait pour
sceptique. J'ai vu la guerre de bien près : j'en-
jambais les corps sans apitoiement. Les fortes
brutalités de la nature ou des hommes peuvent
nous faire pousser des cris d'horreur ou d'indignation, mais ne nous donnent point ce pince-
ment au cœur, ce frisson qui vous passe dans
le dos à la vue de certaines petites choses
navrantes.

La plus violente douleur qu'on puisse éprouver, certes, est la perte d'un enfant pour une
mère, et la perte de la mère pour un homme.
Cela est violent, terrible, cela bouleverse et
déchire; mais on guérit de ces catastrophes
comme de larges blessures saignantes. Or, cer-

taines rencontres, certaines choses entraperçues, devinées, certains chagrins secrets, certaines perfidies du sort, qui remuent en nous tout un monde douloureux de pensées, qui entrouvrent devant nous brusquement la porte mystérieuse des souffrances morales, compliquées, incurables, d'autant plus profondes qu'elles semblent bénignes, d'autant plus cuisantes qu'elles semblent presque insaisissables, d'autant plus tenaces qu'elles semblent factices, nous laissent à l'âme comme une traînée de tristesse, un goût d'amertume, une sensation de désenchantement dont nous sommes longtemps à nous débarrasser.

J'ai toujours devant les yeux deux ou trois choses que d'autres n'eussent point remarquées assurément, et qui sont entrées en moi comme de longues et minces piqûres inguérissables.

Vous ne comprendriez peut-être pas l'émotion qui m'est restée de ces rapides impressions. Je ne vous en dirai qu'une. Elle est très vieille, mais vive comme d'hier. Il se peut que mon imagination seule ait fait les frais de mon attendrissement.

J'ai cinquante ans. J'étais jeune alors et j'étudiais le droit. Un peu triste, un peu rêveur, imprégné d'une philosophie mélancolique, je n'aimais guère les cafés bruyants, les camarades braillards, ni les filles stupides. Je me levais tôt; et une de mes plus chères voluptés était de me promener seul, vers huit heures du matin, dans la pépinière du Luxembourg.

Vous ne l'avez pas connue, vous autres, cette pépinière? C'était comme un jardin oublié de l'autre siècle, un jardin joli comme un doux sourire de vieille. Des haies touffues séparaient les allées étroites et régulières, allées calmes entre deux murs de feuillage taillés avec méthode. Les grands ciseaux du jardinier alignaient sans relâche ces cloisons de branches; et, de place en place, on rencontrait des parterres de fleurs, des plates-bandes de petits arbres rangés comme des collégiens en promenade, des sociétés de rosiers magnifiques ou des régiments d'arbres à fruit.

Tout un coin de ce ravissant bosquet était habité par les abeilles. Leurs maisons de paille, savamment espacées sur des planches, ouvraient au soleil leurs portes grandes comme l'entrée d'un dé à coudre; et on rencontrait tout le long des chemins les mouches bourdonnantes et dorées, vraies maîtresses de ce lieu pacifique, vraies promeneuses de ces tranquilles allées en corridors.

Je venais là presque tous les matins. Je m'asseyais sur un banc et je lisais. Parfois je laissais retomber le livre sur mes genoux pour rêver, pour écouter autour de moi vivre Paris, et jouir du repos infini de ces charmilles à la mode ancienne.

Mais je m'aperçus bientôt que je n'étais pas seul à fréquenter ce lieu dès l'ouverture des barrières, et je rencontrais parfois, nez à nez, au coin d'un massif, un étrange petit vieillard.

Il portait des souliers à boucles d'argent, une culotte à pont, une redingote tabac d'Espagne, une dentelle en guise de cravate et un invraisemblable chapeau gris à grands bords et à grands poils, qui faisait penser au déluge.

Il était maigre, fort maigre, anguleux, grimaçant et souriant. Ses yeux vifs palpitaient, s'agitaient sous un mouvement continu des paupières; et il avait toujours à la main une superbe canne à pommeau d'or qui devait être pour lui quelque souvenir magnifique.

Ce bonhomme m'étonna d'abord, puis m'inté-
ressa outre mesure. Et je le guettais à travers
les murs de feuilles, je le suivais de loin, m'arrêtant au détour des bosquets pour n'être
point vu.

Et voilà qu'un matin, comme il se croyait
bien seul, il se mit à faire des mouvements sin-
guliers : quelques petits bonds d'abord, puis
une révérence; puis il battit, de sa jambe grêle,
un entrechat encore alerte, puis il commença à
pivoter galamment, sautillant, se trémoussant
d'une façon drôle, souriant comme devant un
public, faisant des grâces, arrondissant les bras,
tortillant son pauvre corps de marionnette,
adressant dans le vide de légers saluts attendris-
sants et ridicules. Il dansait!

Je demeurais pétrifié d'étonnement, me
demandant lequel des deux était fou, lui, ou
moi.

Mais il s'arrêta soudain, s'avança comme font
les acteurs sur la scène, puis s'inclina en recu-
lant avec des sourires gracieux et des baisers de
comédienne qu'il jetait de sa main tremblante
aux deux rangées d'arbres taillés.

Et il reprit avec gravité sa promenade.

A partir de ce jour, je ne le perdis plus de vue; et, chaque matin, il recommençait son exercice invraisemblable.

Une envie folle me prit de lui parler. Je me risquai, et, l'ayant salué, je lui dis :

« Il fait bien bon aujourd'hui, monsieur. » Il s'inclina.

« Oui, monsieur, c'est un vrai temps de jadis. »

Huit jours après, nous étions amis, et je connus son histoire. Il avait été maître de danse à l'Opéra, du temps du roi Louis XV. Sa belle canne était un cadeau du comte de Clermont. Et, quand on lui parlait de danse, il ne s'arrêtait plus de bavarder.

Or, voilà qu'un jour il me confia :

« J'ai épousé la Castris, monsieur. Je vous présenterai si vous voulez, mais elle ne vient ici que sur le tantôt. Ce jardin, voyez-vous, c'est notre plaisir et notre vie. C'est tout ce qui nous reste d'autrefois. Il nous semble que nous ne pourrions plus exister si nous ne l'avions point. Cela est vieux et distingué, n'est-ce pas? Je crois y respirer un air qui n'a point changé depuis ma jeunesse. Ma femme et moi, nous y passons tous nos après-midi. Mais, moi, j'y viens dès le matin, car je me lève de bonne heure. »

Dès que j'eus fini de déjeuner, je retournai au Luxembourg, et bientôt j'aperçus mon ami qui donnait le bras avec cérémonie à une toute vieille petite femme vêtue de noir, et à qui je fus présenté. C'était la Castris, la grande danseuse aimée des princes, aimée du roi, aimée de tout ce siècle galant qui semble avoir laissé dans le monde une odeur d'amour.

Nous nous assîmes sur un banc. C'était au mois de mai. Un parfum de fleurs voltigeait dans les allées proprettes; un bon soleil glissait entre les feuilles et semait sur nous de larges gouttes de lumière. La robe noire de la Castris semblait toute mouillée de clarté.

Le jardin était vide. On entendait au loin rouler des fiacres.

« Expliquez-moi donc, dis-je au vieux danseur, ce que c'était que le menuet? »

Il tressaillit.

« Le menuet, monsieur, c'est la reine des danses et la danse des reines, entendez-vous? Depuis qu'il n'y a plus de roi, il n'y a plus de menuet. »

Et il commença, en style pompeux, un long éloge dithyrambique auquel je ne compris rien. Je voulus me faire décrire les pas, tous les mouvements, les poses. Il s'embrouillait, s'exaspérant de son impuissance, nerveux et désolé.

Et soudain, se tournant vers son antique compagne, toujours silencieuse et grave :

« Elise, veux-tu, dis, veux-tu, tu seras bien gentille, veux-tu que nous montrions à monsieur ce que c'était? »

Elle tourna ses yeux inquiets de tous les côtés, puis se leva sans dire un mot et vint se placer en face de lui.

Alors je vis une chose inoubliable.

Ils allaient et venaient avec des simagrées enfantines, se souriaient, se balançaient, s'inclinaient, sautillaient pareils à deux vieilles poupées qu'aurait fait danser une mécanique ancienne, un peu brisée, construite jadis par un ouvrier fort habile, suivant la manière de son temps.

Et je les regardais, le cœur troublé de sensations extraordinaires, l'âme émue d'une indicible mélancolie. Il me semblait voir une apparition lamentable et comique, l'ombre démodée d'un siècle. J'avais envie de rire et besoin de pleurer.

Tout à coup ils s'arrêtèrent, ils avaient terminé les figures de la danse. Pendant quelques secondes ils restèrent debout l'un devant l'autre, grimaçant d'une façon surprenante; puis ils s'embrassèrent en sanglotant.

Je partais, trois jours après, pour la province. Je ne les ai point revus. Quand je revins à Paris, deux ans plus tard, on avait détruit la pépinière. Que sont-ils devenus sans le cher jardin d'autrefois, avec ses jardins en labyrinthe, son odeur du passé et les détours gracieux des charmilles?

Sont-ils morts? Errent-ils par les rues modernes comme des exilés sans espoir? Dansent-ils, spectres falots, un menuet fantastique entre les cyprès d'un cimetière le long des sentiers bordés de tombes, au clair de lune?

Leur souvenir me hante, m'obsède, me torture, demeure en moi comme une blessure. Pourquoi? Je n'en sais rien.

Vous trouverez cela ridicule, sans doute?

LA PEUR

A J.-K. Huysmans.

ON remonta sur le pont après dîner. Devant nous, la Méditerranée n'avait pas un frisson sur toute sa surface qu'une grande lune calme moirait. Le vaste bateau glissait, jetant sur le ciel, qui semblait ensemencé d'étoiles, un gros serpent de fumée noire; et, derrière nous, l'eau toute blanche agitée par le passage rapide du lourd bâtiment, battue par l'hélice, moussait, semblait se tordre, remuait tant de clartés qu'on eût dit de la lumière de lune bouillonnant.

Nous étions là, six ou huit, silencieux, admirant, l'œil tourné vers l'Afrique lointaine où nous allions. Le commandant, qui fumait un cigare au milieu de nous, reprit soudain la conversation du dîner.

« Oui, j'ai eu peur ce jour-là. Mon navire

est resté six heures avec ce rocher dans le ventre,
battu par la mer. Heureusement que nous avons
été recueillis, vers le soir, par un charbonnier
anglais qui nous aperçut. »

Alors un grand homme à figure brûlée, à
l'aspect grave, un de ces hommes qu'on sent
avoir traversé de longs pays inconnus, au milieu
de dangers incessants, et dont l'œil tranquille
semble garder, dans sa profondeur, quelque
chose des paysages étranges qu'il a vus; un de
ces hommes qu'on devine trempés dans le courage, parla pour la première fois :

« Vous dites, commandant, que vous avez eu
peur; je n'en crois rien. Vous vous trompez sur
le mot et sur la sensation que vous avez éprouvée. Un homme énergique n'a jamais peur en
face du danger pressant. Il est ému, agité,
anxieux; mais la peur, c'est autre chose. »

Le commandant reprit en riant :

« Fichtre! je vous réponds bien que j'ai eu
peur, moi. »

Alors l'homme au teint bronzé prononça d'une
voix lente :

— Permettez-moi de m'expliquer! La peur

(et les hommes les plus hardis peuvent avoir peur), c'est quelque chose d'effroyable, une sensation atroce, comme une décomposition de l'âme, un spasme affreux de la pensée et du cœur, dont le souvenir seul donne des frissons d'angoisse. Mais cela n'a lieu, quand on est brave, ni devant une attaque, ni devant la mort inévitable, ni devant toutes les formes connues du péril : cela a lieu dans certaines circonstances anormales, sous certaines influences mystérieuses en face de risques vagues. La vraie peur, c'est quelque chose comme une réminiscence des terreurs fantastiques d'autrefois. Un homme qui croit aux revenants, et qui s'imagine apercevoir un spectre dans la nuit, doit éprouver la peur en toute son épouvantable horreur.

Moi, j'ai deviné la peur en plein jour, il y a dix ans environ. Je l'ai ressentie, l'hiver dernier, par une nuit de décembre.

Et, pourtant, j'ai traversé bien des hasards, bien des aventures qui semblaient mortelles. Je me suis battu souvent. J'ai été laissé pour mort par des voleurs. J'ai été condamné, comme insurgé, à être pendu, en Amérique, et jeté à la mer du pont d'un bâtiment des côtes de Chine. Chaque fois je me suis cru perdu, j'en ai pris immédiatement mon parti, sans attendrissement et même sans regrets.

Mais la peur, ce n'est pas cela.

Je l'ai pressentie en Afrique. Et pourtant elle est fille du Nord; le soleil la dissipe comme un brouillard. Remarquez bien ceci, messieurs. Chez les Orientaux, la vie ne compte pour rien; on est résigné tout de suite; les nuits sont claires et vides des inquiétudes sombres qui hantent les cerveaux dans les pays froids. En Orient, on peut connaître la panique, on ignore la peur.

Eh bien, voici ce qui m'est arrivé sur cette terre d'Afrique :

Je traversais les grandes dunes au sud de Ouargla. C'est là un des plus étranges pays du monde. Vous connaissez le sable uni, le sable droit des interminables plages de l'Océan. Eh bien, figurez-vous l'Océan lui-même devenu sable au milieu d'un ouragan; imaginez une tempête silencieuse de vagues immobiles en poussière jaune. Elles sont hautes comme des montagnes, ces vagues inégales, différentes, soulevées tout à fait comme des flots déchaînés, mais plus grandes encore, et striées comme de la moire. Sur cette mer furieuse, muette et sans mouvement, le dévorant soleil du sud verse sa flamme implacable et directe. Il faut gravir ces lames de cendre d'or, redescendre; gravir encore, gravir sans cesse, sans repos et sans ombre. Les chevaux râlent, s'enfoncent jusqu'aux genoux, et glissent en dévalant l'autre versant des surprenantes collines.

Nous étions deux amis suivis de huit spahis et de quatre chameaux avec leurs chameliers. Nous ne parlions plus, accablés de chaleur, de fatigue et desséchés de soif comme ce désert ardent. Soudain un de nos hommes poussa une sorte de cri; tous s'arrêtèrent; et nous demeurâmes immobiles, surpris par un inexplicable phénomène, connu des voyageurs, en ces contrées perdues.

Quelque part, près de nous, dans un direction indéterminée, un tambour battait, le mystérieux tambour des dunes; il battait distinctement, tantôt plus vibrant, tantôt affaibli, arrêtant, puis reprenant son roulement fantastique.

Les Arabes, épouvantés, se regardaient; et l'un

dit, en sa langue : « La mort est sur nous. »
Et voilà que tout à coup mon compagnon, mon
ami, presque mon frère, tomba de cheval, la
tête en avant, foudroyé par une insolation.

Et pendant deux heures, pendant que j'es-
sayais en vain de le sauver, toujours ce tambour
insaisissable m'emplissait l'oreille de son bruit
monotone, intermittent et incompréhensible; et
je sentais se glisser dans mes os la peur, la vraie
peur, la hideuse peur, en face de ce cadavre
aimé, dans ce trou incendié par le soleil entre
quatre monts de sable, tandis que l'écho inconnu nous jetait, à deux cents lieues de tout
village français, le battement rapide du
tambour.

Ce jour-là, je compris ce que c'était que
d'avoir peur; je l'ai su mieux encore une autre
fois...

Le commandant interrompit le conteur :

« Pardon, monsieur, mais ce tambour?
Qu'était-ce? »

Le voyageur répondit :

— Je n'en sais rien. Personne ne sait. Les officiers, surpris souvent par ce bruit singulier,
l'attribuent généralement à l'écho grossi, mul-

tiplié, démesurément enflé par les vallonne-
ments des dunes, d'une grêle de grains de sable
emportés dans le vent et heurtant une touffe
d'herbes sèches; car on a toujours remarqué que
le phénomène se produit dans le voisinage de
petites plantes brûlées par le soleil, et dures
comme du parchemin.

Ce tambour ne serait donc qu'une sorte de
mirage du son. Voilà tout. Mais je n'appris cela
que plus tard.

J'arrive à ma seconde émotion.

C'était l'hiver dernier, dans une forêt du
nord-est de la France. La nuit vint deux heures
plus tôt, tant le ciel était sombre. J'avais pour
guide un paysan qui marchait à mon côté, par
un tout petit chemin, sous une voûte de sapins
dont le vent déchaîné tirait des hurlements.
Entre les cimes, je voyais courir des nuages en
déroute, des nuages éperdus qui semblaient fuir
devant une épouvante. Parfois, sous une immense rafale, toute la forêt s'inclinait dans le
même sens avec un gémissement de souffrance;
et le froid m'envahissait, malgré mon pas rapide
et mon lourd vêtement.

Nous devions souper et coucher chez un garde

forestier dont la maison n'était plus éloignée de nous. J'allais là pour chasser.

Mon guide, parfois, levait les yeux et murmurait : « Triste temps! » Puis il me parla des gens chez qui nous arrivions. Le père avait tué un braconnier deux ans auparavant, et, depuis ce temps, il semblait sombre, comme hanté d'un souvenir. Ses deux fils, mariés, vivaient avec lui.

Les ténèbres étaient profondes. Je ne voyais rien devant moi, ni autour de moi, et toute la branchure des arbres entre-choqués emplissait la nuit d'une rumeur incessante. Enfin, j'aperçus une lumière, et bientôt mon compagnon heurtait une porte. Des cris aigus de femmes nous répondirent. Puis, une voix d'homme, une voix étranglée, demanda : « Qui va là? » Mon guide se nomma. Nous entrâmes. Ce fut un inoubliable tableau.

Un vieux homme à cheveux blancs, à l'œil fou, le fusil chargé dans la main, nous attendait debout au milieu de la cuisine, tandis que deux grands gaillards armés de haches, gardaient la porte. Je distinguai dans les coins sombres deux femmes à genoux, le visage caché contre le mur.

On s'expliqua. Le vieux remit son arme contre le mur et ordonna de préparer ma chambre; puis, comme les femmes ne bougeaient point, il me dit brusquement :

« Voyez-vous, monsieur, j'ai tué un homme, voilà deux ans, cette nuit. L'autre année, il est revenu m'appeler. Je l'attends encore ce soir. »

Puis il ajouta d'un ton qui me fit sourire :

« Aussi, nous ne sommes pas tranquilles. »

Je le rassurai comme je pus, heureux d'être venu justement ce soir-là, et d'assister au spectacle de cette terreur superstitieuse. Je racontai des histoires, et je parvins à calmer à peu près tout le monde.

Près du foyer, un vieux chien, presque aveugle et moustachu, un de ces chiens qui ressemblent à des gens qu'on connaît, dormait le nez dans ses pattes.

Au-dehors, la tempête acharnée battait la petite maison, et, par un étroit carreau, une sorte de judas placé près de la porte, je voyais soudain tout un fouillis d'arbres bousculés par le vent à la lueur de grands éclairs.

Malgré mes efforts, je sentais bien qu'une terreur profonde tenait ces gens, et chaque fois que

je cessais de parler, toutes les oreilles écoutaient
au loin. Las d'assister à ces craintes imbéciles,
j'allais demander à me coucher, quand le vieux
garde tout à coup fit un bond de sa chaise, saisit
de nouveau son fusil, en bégayant d'une voix
égarée : « Le voilà! le voilà! Je l'entends! » Les
deux femmes retombèrent à genoux dans leurs
coins en se cachant le visage; et les fils reprirent
leurs haches. J'allais tenter encore de les apaiser,
quand le chien endormi s'éveilla brusquement
et, levant sa tête, tendant le cou, regardant vers
le feu de son œil presque éteint, il poussa un
de ces lugubres hurlements qui font tressaillir
les voyageurs, le soir, dans la campagne. Tous
les yeux se portèrent sur lui, il restait maintenant immobile, dressé sur ses pattes comme
hanté d'une vision, et il se remit à hurler vers
quelque chose d'invisible, d'inconnu, d'affreux
sans doute, car tout son poil se hérissait. Le
garde, livide, cria : « Il le sent! il le sent! il
était là quand je l'ai tué. » Et les deux femmes
égarées se mirent, toutes les deux, à hurler avec
le chien.

Malgré moi, un grand frisson me courut entre
les épaules. Cette vision de l'animal dans ce

lieu, à cette heure, au milieu de ces gens éperdus, était effrayante à voir.

Alors, pendant une heure, le chien hurla sans
bouger; il hurla comme dans l'angoisse d'un
rêve; et la peur, l'épouvantable peur entrait en
moi; la peur de quoi? Le sais-je? C'était la
peur, voilà tout.

Nous restions immobiles, livides, dans
l'attente d'un événement affreux, l'oreille tendue, le cœur battant, bouleversés au moindre
bruit. Et le chien se mit à tourner autour de
la pièce, en sentant les murs et gémissant toujours. Cette bête nous rendait fous! Alors, le
paysan qui m'avait amené, se jeta sur elle, dans
une sorte de paroxysme de terreur furieuse, et,
ouvrant une porte donnant sur une petite cour,
jeta l'animal dehors.

Il se tut aussitôt; et nous restâmes plongés
dans un silence plus terrifiant encore. Et soudain
tous ensemble, nous eûmes une sorte de sursaut :
un être glissait contre le mur du dehors vers
la forêt; puis il passa contre la porte, qu'il
sembla tâter, d'une main hésitante; puis on
n'entendit plus rien pendant deux minutes qui

firent de nous des insensés; puis il revint, frôlant toujours la muraille; et il gratta légèrement, comme ferait un enfant avec son ongle; puis soudain une tête apparut contre la vitre du judas, une tête blanche avec des yeux lumineux comme ceux des fauves. Et un son sortit de sa bouche, un son indistinct, un murmure plaintif.

Alors un bruit formidable éclata dans la cuisine. Le vieux garde avait tiré. Et aussitôt les fils se précipitèrent, bouchèrent le judas en dressant la grande table qu'ils assujettirent avec le buffet.

Et je vous jure qu'au fracas du coup de fusil que je n'attendais point, j'eus une telle angoisse du cœur, de l'âme et du corps, que je me sentis défaillir, prêt à mourir de peur.

Nous restâmes là jusqu'à l'aurore, incapables de bouger, de dire un mot, crispés dans un affolement indicible.

On n'osa débarricader la sortie qu'en apercevant, par la fente d'un auvent, un mince rayon de jour.

Au pied du mur, contre la porte, le vieux chien gisait, la gueule brisée d'une balle.

Il était sorti de la cour en creusant un trou sous une palissade.

L'homme au visage brun se tut; puis il ajouta :

« Cette nuit-là pourtant, je ne courus aucun danger; mais j'aimerais mieux recommencer toutes les heures où j'ai affronté les plus terribles périls, que la seule minute du coup de fusil sur la tête barbue du judas. »

FARCE NORMANDE

A A. de Joinville.

La procession se déroulait dans le chemin creux ombragé par les grands arbres poussés sur les talus des fermes. Les jeunes mariés venaient d'abord, puis les parents, puis les invités, puis les pauvres du pays, et les gamins qui tournaient autour du défilé, comme des mouches, passaient entre les rangs, grimpaient aux branches pour mieux voir.

Le marié était un beau gars, Jean Patu, le plus riche fermier du pays. C'était, avant tout, un chasseur frénétique, qui perdait le bon sens à satisfaire cette passion, et dépensait de l'argent gros comme lui pour ses chiens, ses gardes, ses furets et ses fusils.

La mariée, Rosalie Roussel, avait été fort

courtisée par tous les partis des environs, car on
la trouvait avenante, et on la savait bien dotée;
mais elle avait choisi Patu, peut-être parce qu'il
lui plaisait mieux que les autres, mais plutôt
encore, en Normande réfléchie, parce qu'il
avait plus d'écus.

Lorsqu'ils tournèrent la grande barrière de
la ferme maritale, quarante coups de fusil éclatèrent sans qu'on vît les tireurs cachés dans les
fossés. A ce bruit, une grosse gaieté saisit les
hommes qui gigotaient lourdement en leurs
habits de fête; et Patu, quittant sa femme, sauta
sur un valet qu'il apercevait derrière un arbre,
empoigna son arme, et lâcha lui-même un coup
de feu en gambadant comme un poulain.

Puis on se remit en route sous les pommiers
déjà lourds de fruits, à travers l'herbe haute, au
milieu des veaux qui regardaient de leurs gros
yeux, se levaient lentement et restaient debout,
le mufle tendu vers la noce.

Les hommes redevenaient graves en approchant du repas. Les uns, les riches, étaient coiffés
de hauts chapeaux de soie luisants, qui semblaient dépaysés en ce lieu; les autres portaient
d'anciens couvre-chefs à poils longs, qu'on aurait

dit en peau de taupe; les plus humbles étaient couronnés de casquettes.

Toutes les femmes avaient des châles lâchés dans le dos, et dont elles tenaient les bouts sur leurs bras avec cérémonie. Ils étaient rouges, bigarrés, flamboyants, ces châles; et leur éclat semblait étonner les poules noires sur le fumier, les canards au bord de la mare, et les pigeons sur les toits de chaume.

Tout le vert de la campagne, le vert de l'herbe et des arbres, semblait exaspéré au contact de cette pourpre ardente et les deux couleurs ainsi voisines devenaient aveuglantes sous le feu du soleil de midi.

La grande ferme paraissait attendre là-bas, au bout de la voûte des pommiers. Une sorte de fumée sortait de la porte et des fenêtres ouvertes, et une odeur épaisse de mangeaille s'exhalait du vaste bâtiment, de toutes ses ouvertures, des murs eux-mêmes.

Comme un serpent, la suite des invités s'allongeait à travers la cour. Les premiers, atteignant la maison, brisaient la chaîne, s'éparpillaient, tandis que là-bas il en entrait toujours par la barrière ouverte. Les fossés maintenant étaient

garnis de gamins et de pauvres curieux; et les
coups de fusil ne cessaient pas, éclatant de tous
les côtés à la fois, mêlant à l'air une buée de
poudre et cette odeur qui grise comme de l'ab-
sinthe.

Devant la porte, les femmes tapaient sur leurs
robes pour en faire tomber la poussière, dé-
nouaient les oriflammes qui servaient de rubans
à leurs chapeaux, défaisaient leurs châles et les
posaient sur leurs bras, puis entraient dans la
maison pour se débarrasser définitivement de
ces ornements.

La table était mise dans la grande cuisine,
qui pouvait contenir cent personnes.

On s'assit à deux heures. A huit heures on
mangeait encore. Les hommes déboutonnés, en
bras de chemise, la face rougie, engloutissaient
comme des gouffres. Le cidre jaune luisait,
joyeux, clair et doré, dans les grands verres, à
côté du vin coloré, du vin sombre, couleur de
sang.

Entre chaque plat on faisait un trou, le trou
normand, avec un verre d'eau-de-vie qui jetait
du feu dans les corps et de la folie dans les
têtes.

De temps en temps, un convive plein comme
une barrique, sortait jusqu'aux arbres prochains,
se soulageait, puis rentrait avec une faim nouvelle aux dents.

Les fermières, écarlates, oppressées, les cor-
sages tendus comme des ballons, coupées en
deux par le corset, gonflées du haut et du bas,
restaient à table par pudeur. Mais une d'elles,
plus gênée étant sortie, toutes alors se levèrent
à la suite. Elles revenaient plus joyeuses, prêtes
à rire. Et les lourdes plaisanteries commencèrent.

C'étaient des bordées d'obscénités lâchées à
travers la table, et toutes sur la nuit nuptiale.
L'arsenal de l'esprit paysan fut vidé. Depuis
cent ans, les mêmes grivoiseries servaient aux
mêmes occasions, et, bien que chacun les
connût, elles portaient encore, faisaient partir
en un rire retentissant les deux enfilées de
convives.

Un vieux à cheveux gris appelait : « Les
voyageurs pour Mézidon en voiture. » Et
c'étaient des hurlements de gaieté.

Tout au bout de la table, quatre gars, des voisins, préparaient des farces aux mariés, et ils

semblaient en tenir une bonne, tant ils trépignaient en chuchotant.

L'un d'eux, soudain, profitant d'un moment de calme, cria :

« C'est les braconniers qui vont s'en donner c'te nuit, avec la lune qu'y a!... Dis donc, Jean, c'est pas c'te lune qu' tu guetteras, toi? »

Le marié, brusquement, se tourna :

« Qu'y z'y viennent, les braconniers! »

Mais l'autre se mit à rire :

« Ah! i peuvent y venir; tu quitteras pas ta besogne pour ça! »

Toute la tablée fut secouée par la joie. Le sol en trembla, les verres vibrèrent.

Mais le marié, à l'idée qu'on pouvait profiter de sa noce pour braconner chez lui devint furieux :

« J'te dis qu'ça : qui z'y viennent! »

Alors ce fut une pluie de polissonneries à double sens qui faisaient un peu rougir la mariée, toute frémissante d'attente.

Puis, quand on eut bu des barils d'eau-de-vie, chacun partit se coucher; et les jeunes époux entrèrent en leur chambre, située au rez-de-chaussée, comme toutes les chambres de ferme;

et, comme il y faisait un peu chaud, ils ouvrirent la fenêtre et fermèrent l'auvent. Une petite lampe de mauvais goût, cadeau du père de la femme, brûlait sur la commode; et le lit était prêt à recevoir le couple nouveau, qui ne mettait point à son premier embrassement tout le cérémonial des bourgeois dans les villes.

Déjà la jeune femme avait enlevé sa coiffure et sa robe, et elle demeurait en jupon, délaçant ses bottines, tandis que Jean achevait un cigare, en regardant de coin sa compagne.

Il la guettait d'un œil luisant, plus sensuel que tendre; car il la désirait plutôt qu'il ne l'aimait; et, soudain, d'un mouvement brusque, comme un homme qui va se mettre à l'ouvrage, il enleva son habit,

Elle avait défait ses bottines, et maintenant elle retirait ses bas, puis elle lui dit, le tutoyant depuis l'enfance : « Va te cacher là-bas, derrière les rideaux, que j'me mette au lit. »

Il fit mine de refuser, puis il y alla d'un air sournois, et se dissimula, sauf la tête. Elle riait, voulait envelopper ses yeux, et ils jouaient d'une façon amoureuse et gaie, sans pudeur apprise et sans gêne.

Pour finir il céda; alors, en une seconde, elle dénoua son dernier jupon, qui glissa le long de ses jambes, tomba autour de ses pieds et s'aplatit en rond par terre. Elle l'y laissa, l'enjamba, nue sous la chemise flottante et elle se glissa dans le lit dont les ressorts chantèrent sous son poids.

Aussitôt il arriva, déchaussé lui-même, en pantalon, et il se courbait vers sa femme, cherchant ses lèvres qu'elle cachait dans l'oreiller, quand un coup de feu retentit au loin, dans la direction du bois des Râpées, lui sembla-t-il.

Il se redressa inquiet, le cœur crispé, et, courant à la fenêtre, il décrocha l'auvent.

La pleine lune baignait la cour d'une lumière jaune. L'ombre des pommiers faisait des taches sombres à leur pied; et, au loin, la campagne, couverte de moissons mûres, luisait.

Comme Jean s'était penché au-dehors, épiant toutes les rumeurs de la nuit, deux bras nus vinrent se nouer sous son cou, et sa femme le tirant en arrière, murmura :

« Laisse-donc, qu'est-ce que ça fait, viens-t'en. »

Il se retourna, la saisit, l'étreignit, la palpant

sous la toile légère; et, l'enlevant dans ses bras robustes, il l'emporta vers leur couche.

Au moment où il la posait sur le lit, qui plia sous le poids, une nouvelle détonation, plus proche celle-là, retentit.

Alors Jean, secoué d'une colère tumultueuse, jura : « Nom de D...! ils croient que je ne sortirai pas à cause de toi?... Attends, attends! » Il se chaussa, décrocha son fusil toujours pendu à portée de sa main, et, comme sa femme se traînait à ses genoux et le suppliait, éperdue, il se dégagea vivement, courut à la fenêtre et sauta dans la cour.

Elle attendit une heure, deux heures, jusqu'au jour. Son mari ne rentra pas. Alors elle perdit la tête, appela, raconta la fureur de Jean et sa course après les braconniers.

Aussitôt les valets, les charretiers, les gars partirent à la recherche du maître.

On le retrouva à deux lieues de la ferme, ficelé des pieds à la tête, à moitié mort de fureur, son fusil tordu, sa culotte à l'envers, avec trois lièvres trépassés autour du cou et une pancarte sur la poitrine :

« Qui va à la chasse, perd sa place. »

Et plus tard, quand il racontait cette nuit d'épousailles, il ajoutait : « Oh! pour une farce! c'était une bonne farce. Ils m'ont pris dans un collet comme un lapin, les salauds, et ils m'ont caché la tête dans un sac. Mais si je les tâte un jour, gare à eux! »

Et voilà comment on s'amuse, les jours de noce, au pays normand.

LES SABOTS

A Léon Fontaine.

LE vieux curé bredouillait les derniers mots de son sermon au-dessus des bonnets blancs des paysannes et des cheveux rudes ou pommadés des paysans. Les grands paniers des fermières venues de loin pour la messe étaient posés à terre à côté d'elles; et la lourde chaleur d'un jour de juillet dégageait de tout le monde une odeur de bétail, un fumet de troupeau. Les voix des coqs entraient par la grande porte ouverte, et aussi les meuglements des vaches couchées dans un champ voisin. Parfois un souffle d'air chargé d'aromes des champs s'engouffrait sous le portail et, en soulevant sur son passage les longs rubans des coiffures, il allait faire vaciller sur l'autel les petites flammes jaunes au bout des cierges...

« Comme le désire le Bon Dieu. Ainsi soit-il! »
prononçait le prêtre. Puis il se tut, ouvrit un
livre et se mit, comme chaque semaine, à re-
commander à ses ouailles les petites affaires intimes de la commune. C'était un vieil homme
à cheveux blancs qui administrait la paroisse
depuis bientôt quarante ans, et le prône lui
servait pour communiquer familièrement avec
tout son monde.

Il reprit : « Je recommande à vos prières Désiré Vallin, qu'est bien malade et aussi la Pau-
melle qui ne se remet pas vite de ses couches. »

Il ne savait plus, il cherchait les bouts de papier posés dans un bréviaire. Il en retrouva deux
enfin et continua : « Il ne faut pas que les
garçons et les filles viennent comme ça, le soir,
dans le cimetière, ou bien je préviendrai le garde
champêtre. — M. Césaire Omont voudrait bien
trouver une jeune fille honnête comme servante. » Il réfléchit encore quelques secondes,
puis ajouta : « C'est tout, mes frères, c'est la
grâce que je vous souhaite, au nom du Père, et
du Fils, et du Saint-Esprit. »

Et il descendit de la chaire pour terminer sa
messe.

Quand les Malandain furent rentrés dans leur chaumière, la dernière du hameau de La Sablière, sur la route de Fourville, le père, un vieux petit paysan sec et ridé, s'assit devant la table, pendant que sa femme décrochait la marmite et que sa fille Adélaïde prenait dans le buffet les verres et les assiettes, et il dit : « Ça s'rait p't être bon, c'te place chez maîtr' Omont, vu que le v'la vcuf, que sa bru l'aime pas, qu'il est seul et qu'il a d'quoi. J'ferions p't être ben d'y envoyer Adélaïde. »

La femme posa sur la table la marmite toute noire, enleva le couvercle, et, pendant que montait au plafond une vapeur de soupe plcine d'une odeur de choux, elle réfléchit.

L'homme reprit : « Il a d' quoi, pour sûr. Mais qu'il faudrait être dégourdi et qu'Adélaïde l'est pas un brin. »

La femme alors articula : « J'pourrions voir tout d'même. » Puis, se tournant vers sa fille, une gaillarde à l'air niais, aux cheveux jaunes, aux grosses joues rouges comme la peau des pommes, elle cria : « T'entends, grande bête. T'iras chez maîtr' Omont t'proposer comme servante, et tu f'ras ce qu'il te commandera. »

La fille se mit à rire sottement sans répondre. Puis tous trois commencèrent à manger. Au bout de dix minutes, le père reprit : « Ecoute un mot la fille et tâche d'n' point te mettre en défaut sur ce que j'vas te dire... »

Et il lui traça en termes lents et minutieux toute une règle de conduite, prévoyant les moindres détails, la préparant à cette conquête d'un vieux veuf mal avec sa famille.

La mère avait cessé de manger pour écouter, et elle demeurait, la fourchette à la main, les yeux sur son homme et sur sa fille tour à tour, suivant cette instruction avec une attention concentrée et muette.

Adélaïde restait inerte, le regard errant et vague, docile et stupide.

Dès que le repas fut terminé, la mère lui fit mettre son bonnet, et elles partirent toutes deux pour aller trouver M. Césaire Omont. Il habitait une sorte de petit pavillon de briques adossé aux bâtiments d'exploitation qu'occupaient ses fermiers. Car il s'était retiré du faire-valoir, pour vivre de ses rentes.

Il avait environ cinquante-cinq ans; il était gros, jovial et bourru comme un homme riche.

Il riait et criait à faire tomber les murs, buvait du cidre et de l'eau-de-vie à pleins verres et passait encore pour chaud, malgré son âge.

Il aimait à se promener dans les champs, les mains derrière le dos, enfonçant ses sabots de bois dans la terre grasse, considérant la levée du blé ou la floraison des colzas d'un œil d'amateur à son aise, qui aime ça, mais qui ne se la foule plus.

On disait de lui : « C'est un père Bon-Temps, qui n'est pas bien levé tous les jours. »

Il reçut les deux femmes, le ventre à table, achevant son café. Et, se renversant, il demanda :

« Qu'est-ce que vous désirez? »

La mère prit la parole :

« C'est not' fille Adélaïde que j' viens vous proposer pour servante, vu c'qu'a dit ç' matin monsieur le curé. »

Maître Omont considéra la fille, puis, brusquement : « Quel âge qu'elle a, c'te grande bique-là?

— Vingt un ans à la Saint-Michel, monsieur Omont.

— C'est bien; all'aura quinze francs par mois

et l'fricot. J'l'attends d'main, pour faire ma soupe du matin. »

Et il congédia les deux femmes.

Adélaïde entra en fonctions le lendemain et se mit à travailler dur, sans dire un mot, comme elle faisait chez ses parents.

Vers neuf heures, comme elle nettoyait les carreaux de la cuisine, M. Omont la héla!

« Adélaïde! »

Elle accourut. « Me v'là, not'maître. »

Dès qu'elle fut en face de lui, les mains rouges et abandonnées, l'œil troublé, il déclara : « Ecoute un peu, qu'il n'y ait pas d'erreur entre nous. T'es ma servante, mais rien de plus. Nous ne mêlerons pas nos sabots.

— Oui, not' maître.

— Chacun sa place, ma fille, t'as ta cuisine; j'ai ma salle. A part ça, tout sera pour té comme pour mé. C'est convenu?

— Oui, not' maître.

— Allons, c'est bien, va à ton ouvrage. »

Et elle alla reprendre sa besogne.

A midi, elle servit le dîner du maître dans sa petite salle à papier peint; puis quand la soupe fut sur la table elle alla prévenir M. Omont.

« C'est servi, not' maître. »

Il entra, s'assit, regarda autour de lui, déplia sa serviette, hésita une seconde, puis, d'une voix de tonnerre :

« Adélaïde! »

Elle arriva, effarée. Il cria comme s'il allait la massacrer. « Eh bien, nom de D... et té, ous-qu'est ta place?

— Mais... not' maître... »

Il hurlait : « J'aime pas manger tout seul, nom de D...; tu vas te mett' là, ou bien foutre le camp si tu n' veux pas. Va chercher t'nassiette et ton verre. »

Epouvantée, elle apporta son couvert en balbutiant : « Me v'là, not' maître. »

Et elle s'assit en face de lui.

Alors il devint jovial; il trinquait, tapait sur la table, racontait des histoires qu'elle écoutait les yeux baissés, sans oser prononcer un mot.

De temps en temps, elle se levait pour aller chercher du pain, du cidre, des assiettes.

En apportant le café, elle ne déposa qu'une tasse devant lui; alors, repris de colère, il grogna :

« Eh bien, et pour té?

— J'n'en prends point, not' maître.

— Pourquoi que tu n'en prends point?

— Parce que je l'aime point. »

Alors il éclata de nouveau : « J'aime pas prend' mon café tout seul, nom de D... Si tu n'veux pas t'mett' à en prendre itou, tu vas foutre le camp, nom de D... Va chercher une tasse et plus vite que ça. »

Elle alla chercher une tasse, se rassit, goûta la noire liqueur, fit la grimace; mais, sous l'œil furieux du maître, avala jusqu'au bout. Puis il lui fallut boire le premier verre d'eau-de-vie de la rincette, le second du pousse-rincette, et le troisième du coup-de-pied-au-cul.

Et M. Omont la congédia. « Va laver ta vaisselle maintenant, t'es une bonne fille. »

Il en fut de même au dîner. Puis elle dut faire sa partie de dominos; puis il l'envoya se mettre au lit.

« Va te coucher, je monterai tout à l'heure. »

Et elle gagna sa chambre, une mansarde sous le toit. Elle fit sa prière, se dévêtit et se glissa dans ses draps.

Mais soudain elle bondit, effarée. Un cri furieux faisait trembler la maison.

« Adélaïde? »

Elle ouvrit sa porte et répondit de son grenier :

« Me v'là, not' maître.

— Ousque t'es?

— Mais j'suis dans mon lit, donc, not' maître. »

Alors il vociféra : « Veux-tu bien descendre, nom de D... J'aime pas coucher tout seul, nom de D..., et si tu n'veux point, tu vas me foutre le camp, nom de D... »

Alors, elle répondit d'en haut, éperdue, cherchant sa chandelle :

« Me v'là, not' maître! »

Et il entendit ses petits sabots découverts battre le sapin de l'escalier; et, quand elle fut arrivée aux dernières marches, il la prit par le bras, et dès qu'elle eut laissé devant la porte ses étroites chaussures de bois à côté des grosses galoches du maître, il la poussa dans sa chambre en grognant :

« Plus vite que ça, donc, nom de D...! »

Et elle répétait sans cesse, ne sachant plus ce qu'elle disait :

« Me v'là, me v'là, not' maître. »

Six mois après, comme elle allait voir ses parents, un dimanche, son père l'examina curieusement, puis demanda :

« T'es-ti point grosse? »

Elle restait stupide regardant son ventre, répétant : « Mais non, je n' crois point. »

Alors, il l'interrogea, voulant tout savoir :

« Dis-mé, si vous n'avez point, quéque soir, mêlé vos sabots?

— Oui, je les ons mêlés l' premier soir et puis l'sautres.

— Mais alors t'es pleine, grande futaille. »

Elle se mit à sangloter, balbutiant : « J'savais ti, mé? J'savais ti, mé? »

Le père Malandain la guettait, l'œil éveillé, la mine satisfaite. Il demanda :

« Quéque tu ne savais point? »

Elle prononça à travers ses pleurs : « J'savais ti, mé, que ça se faisait comme ça, d's'éfants! »

Sa mère rentrait. L'homme articula, sans colère : « La v'là grosse, à c't'heure. »

Mais la femme se fâcha, révoltée d'instinct, injuriant à pleine gueule sa fille en larmes, la traitant de « manante » et de « traînée ».

Alors le vieux la fit taire. Et comme il prenait sa casquette pour aller causer de leurs affaires avec maît' Césaire Omont, il déclara :

« All' est tout d' même encore pu sotte que j'aurais cru. All' n'savait point c' qu'all' faisait, c'te niente. »

Au prône du dimanche suivant, le vieux curé publiait les bans de M. Onufre-Césaire Omont avec Céleste-Adélaïde Malandain.

LA REMPAILLEUSE

A Léon Hennique.

C'ÉTAIT à la fin du dîner d'ouverture de chasse chez le marquis de Bertrans. Onze chasseurs, huit jeunes femmes et le médecin du pays étaient assis autour de la grande table illuminée, couverte de fruits et de fleurs.

On vint à parler d'amour, et une grande discussion s'éleva, l'éternelle discussion pour savoir si on pouvait aimer vraiment une fois ou plusieurs fois. On cita des exemples de gens n'ayant eu qu'un amour sérieux; on cita aussi d'autres exemples de gens ayant aimé souvent, avec violence. Les hommes, en général, prétendaient que la passion, comme les maladies, peut frapper plusieurs fois le même être, et le frapper à le tuer si quelque obstacle se dresse devant lui.

Bien que cette manière de voir ne fût pas contes-
table, les femmes, dont l'opinion s'appuyait sur
la poésie bien plus que sur l'observation, affir-
maient que l'amour, l'amour vrai, le grand
amour, ne pouvait tomber qu'une fois sur un
mortel, qu'il était semblable à la foudre, cet
amour, et qu'un cœur touché par lui demeurait
ensuite tellement vidé, ravagé, incendié, qu'aucun autre sentiment puissant, même aucun rêve,
n'y pouvait germer de nouveau.

Le marquis ayant aimé beaucoup, combattait
vivement cette croyance :

« Je vous dis, moi, qu'on peut aimer plusieurs
fois avec toutes ses forces et toute son âme.
Vous me citez des gens qui se sont tués par
amour, comme preuve de l'impossibilité d'une
seconde passion. Je vous répondrai que, s'ils
n'avaient pas commis cette bêtise de se suicider,
ce qui leur enlevait toute chance de rechute, ils
se seraient guéris; et ils auraient recommencé, et
toujours, jusqu'à leur mort naturelle. Il en est
des amoureux comme des ivrognes. Qui a bu
boira — qui a aimé aimera. C'est une affaire
de tempérament, cela. »

On prit pour arbitre le docteur, vieux mé-

decin parisien retiré aux champs, et on le pria
de donner son avis.

Justement il n'en avait pas :

« Comme l'a dit le marquis, c'est une affaire
de tempérament; quant à moi, j'ai eu connaissance d'une passion qui dura cinquante-cinq ans
sans un jour de répit, et qui ne se termina que
par la mort. »

La marquise battit des mains.

« Est-ce beau cela! Et quel rêve d'être aimé
ainsi! Quel bonheur de vivre cinquante-cinq ans
tout enveloppé de cette affection acharnée et
pénétrante! Comme il a dû être heureux et
bénir la vie celui qu'on adora de la sorte! »

Le médecin sourit :

« En effet, madame, vous ne vous trompez
pas sur ce point, que l'être aimé fut un homme.
Vous le connaissez, c'est M. Chouquet, le pharmacien du bourg. Quant à elle, la femme, vous
l'avez connue aussi, c'est la vieille rempailleuse
de chaises qui venait tous les ans au château.
Mais je vais me faire mieux comprendre. »

L'enthousiasme des femmes était tombé; et
leur visage dégoûté disait : « Pouah! » comme si
l'amour n'eût dû frapper que des êtres fins et

distingués, seuls dignes de l'intérêt des gens comme il faut.

Le médecin reprit :

« J'ai été appelé, il y a trois mois, auprès de cette vieille femme, à son lit de mort. Elle était arrivée, la veille, dans la voiture qui lui servait de maison, traînée par la rosse que vous avez vue, et accompagnée de ses deux grands chiens noirs, ses amis et ses gardiens. Le curé était déjà là. Elle nous fit ses exécuteurs testamentaires, et, pour nous dévoiler le sens de ses volontés dernières, elle nous raconta toute sa vie. Je ne sais rien de plus singulier et de plus poignant.

Son père était rempailleur et sa mère rempailleuse. Elle n'a jamais eu de logis planté en terre.

Toute petite, elle errait, haillonneuse, vermineuse, sordide. On s'arrêtait à l'entrée des villages, le long des fossés; on dételait la voiture; le cheval broutait; le chien dormait, le museau sur ses pattes; et la petite se roulait dans l'herbe pendant que le père et la mère rafistolaient, à l'ombre des ormes du chemin, tous les vieux sièges de la commune. On ne parlait guère dans

cette demeure ambulante. Après les quelques
mots nécessaires pour décider qui ferait le tour
des maisons en poussant le cri bien connu :
« Remmmpailleur de chaises! », on se mettait à
tortiller la paille, face à face ou côte à côte.
Quand l'enfant allait trop loin ou tentait d'entrer en relations avec quelque galopin du
village, la voix colère du père la rappelait :
« Veux-tu bien revenir ici, crapule! » C'étaient
les seuls mots de tendresse qu'elle entendait.

Quand elle devint plus grande, on l'envoya
faire la récolte des fonds de sièges avariés. Alors
elle ébaucha quelques connaissances de place en
place avec les gamins; mais c'étaient, cette fois,
les parents de ses nouveaux amis qui rappelaient
brutalement leurs enfants :« Veux-tu bien venir
ici, polisson! Que je te voie causer avec les va-
nu-pieds!... »

Souvent les petits gars lui jetaient des pierres.

Des dames lui ayant donné quelques sous, elle
les garda soigneusement.

Un jour — elle avait alors onze ans — comme
elle passait par ce pays, elle rencontra derrière
le cimetière le petit Chouquet qui pleurait parce
qu'un camarade lui avait volé deux liards. Ces

larmes d'un petit bourgeois, d'un de ces petits qu'elle s'imaginait dans sa frêle caboche de déshéritée, être toujours contents et joyeux, la bouleversèrent. Elle s'approcha, et, quand elle connut la raison de sa peine, elle versa entre ses mains toutes ses économies, sept sous, qu'il prit naturellement, en essuyant ses larmes. Alors, folle de joie, elle eut l'audace de l'embrasser. Comme il considérait attentivement sa monnaie, il se laissa faire. Ne se voyant ni repoussée, ni battue, elle recommença; elle l'embrassa à pleins bras, à plein cœur. Puis elle se sauva.

Que se passa-t-il dans cette misérable tête? S'est-elle attachée à ce mioche parce qu'elle lui avait sacrifié sa fortune de vagabonde, ou parce qu'elle lui avait donné son premier baiser tendre? Le mystère est le même pour les petits que pour les grands.

Pendant des mois, elle rêva de ce coin de cimetière et de ce gamin. Dans l'espérance de le revoir elle vola ses parents, grapillant un sou par-ci, un sou par-là, sur un rempaillage, ou sur les provisions qu'elle allait acheter.

Quand elle revint, elle avait deux francs dans sa poche, mais elle ne put qu'apercevoir le petit

pharmacien, bien propre, derrière les carreaux
de la boutique paternelle, entre un bocal rouge
et un ténia.

Elle ne l'en aima que davantage, séduite,
émue, extasiée par cette gloire de l'eau colorée,
cette apothéose des cristaux luisants.

Elle garda en elle son souvenir ineffaçable, et,
quand elle le rencontra, l'an suivant, derrière
l'école, jouant aux billes avec ses camarades, elle
se jeta sur lui, le saisit dans ses bras, et le baisa
avec tant de violence qu'il se mit à hurler de
peur. Alors, pour l'apaiser, elle lui donna son
argent : trois francs vingt, un vrai trésor, qu'il
regardait avec des yeux agrandis.

Il le prit et se laissa caresser tant qu'elle
voulut.

Pendant quatre ans encore, elle versa entre ses
mains toutes ses réserves, qu'il empochait avec
conscience en échange de baisers consentis. Ce
fut une fois trente sous, une fois deux francs,
une fois douze sous (elle en pleura de peine et
d'humiliation, mais l'année avait été mauvaise)
et la dernière fois, cinq francs, une grosse pièce
ronde, qui le fit rire d'un rire content.

Elle ne pensait plus qu'à lui; et il attendait

son retour avec une certaine impatience, courait au-devant d'elle en la voyant, ce qui faisait bondir le cœur de la fillette.

Puis il disparut. On l'avait mis au collège. Elle le sut en interrogeant habilement. Alors elle usa d'une diplomatie infinie pour changer l'itinéraire de ses parents et les faire passer par ici au moment des vacances. Elle y réussit, mais après un an de ruses. Elle était donc restée deux ans sans le revoir; et elle le reconnut à peine, tant il était changé, grandi, embelli, imposant dans sa tunique à boutons d'or. Il feignit de ne pas la voir et passa fièrement près d'elle.

Elle en pleura pendant deux jours; et depuis lors elle souffrit sans fin.

Tous les ans elle revenait; passait devant lui sans oser le saluer et sans qu'il daignât même tourner les yeux vers elle. Elle l'aimait éperdument. Elle me dit : « C'est le seul homme que j'aie vu sur la terre, monsieur le médecin; je ne sais pas si les autres existaient seulement. »

Ses parents moururent. Elle continua leur métier, mais elle prit deux chiens au lieu d'un, deux terribles chiens qu'on n'aurait pas osé braver.

Un jour, en rentrant dans ce village où son cœur était resté, elle aperçut une jeune femme qui sortait de la boutique Chouquet au bras de son bien-aimé. C'était sa femme. Il était marié.

Le soir-même, elle se jeta dans la mare qui est sur la place de la Mairie. Un ivrogne attardé la repêcha, et la porta à la pharmacie. Le fils Chouquet descendit en robe de chambre, pour la soigner, et, sans paraître la reconnaître, la déshabilla, la frictionna, puis il lui dit d'une voix dure : « Mais vous êtes folle! Il ne faut pas être bête comme ça! »

Cela suffit pour la guérir. Il lui avait parlé! Elle était heureuse pour longtemps.

Il ne voulut rien recevoir en rémunération de ses soins, bien qu'elle insistât vivement pour le payer.

Et toute sa vie s'écoula ainsi. Elle rempaillait en songeant à Chouquet. Tous les ans, elle l'apercevait derrière ses vitraux. Elle prit l'habitude d'acheter chez lui des provisions de menus médicaments. De la sorte elle le voyait de près, et lui parlait, et lui donnait encore de l'argent.

Comme je vous l'ai dit en commençant, elle est morte ce printemps. Après m'avoir raconté toute cette triste histoire, elle me pria de remettre à celui qu'elle avait si patiemment aimé toutes les économies de son existence, car elle n'avait travaillé que pour lui, disait-elle, jeûnant même pour mettre de côté, et être sûre qu'il penserait à elle, au moins une fois, quand elle serait morte.

Elle me donna donc deux mille trois cent vingt-sept francs. Je laissai à M. le curé les vingt-sept francs pour l'enterrement, et j'emportai le reste quand elle eut rendu le dernier soupir.

Le lendemain, je me rendis chez les Chouquet. Ils achevaient de déjeuner, en face l'un de l'autre, gros et rouges, fleurant les produits pharmaceutiques, importants et satisfaits.

On me fit asseoir, on m'offrit un kirsch, que j'acceptai; et je commençai mon discours d'une voix émue, persuadé qu'ils allaient pleurer.

Dès qu'il eut compris qu'il avait été aimé de cette vagabonde, de cette rempailleuse, de cette rouleuse, Chouquet bondit d'indignation, comme si elle lui avait volé sa réputation, l'estime des honnêtes gens, son honneur intime, quelque chose de délicat qui lui était plus cher que la vie.

Sa femme, aussi exaspérée que lui, répétait : « Cette gueuse! cette gueuse! cette gueuse!... » Sans pouvoir trouver autre chose.

Il s'était levé; il marchait à grands pas derrière la table, le bonnet grec chaviré sur une oreille. Il balbutiait : « Comprend-on ça, docteur? Voilà des choses horribles pour un homme! Que faire? Oh! si je l'avais su de son vivant, je l'aurais fait arrêter par la gendarmerie et flanquer en prison. Et elle n'en serait pas sortie, je vous en réponds! »

Je demeurais stupéfait du résultat de ma démarche pieuse. Je ne savais que dire ni que faire. Mais j'avais à compléter ma mission. Je repris : « Elle m'a chargé de vous remettre ses économies, qui montent à deux mille trois cents francs. Comme ce que je viens de vous apprendre semble vous être fort désagréable, le mieux serait peut-être de donner cet argent aux pauvres. »

Ils me regardaient, l'homme et la femme, perclus de saisissement.

Je tirai l'argent de ma poche, du misérable

argent de tous les pays et de toutes les marques, de l'or et des sous mêlés. Puis je demandai : « Que décidez-vous? »

Mme Chouquet parla la première : « Mais, puisque c'était sa dernière volonté, à cette femme... il me semble qu'il nous est bien difficile de refuser. »

Le mari, vaguement confus, reprit : « Nous pourrions toujours acheter avec ça quelque chose pour nos enfants. »

Je dis d'un air sec : « Comme vous voudrez. »

Il reprit : « Donnez toujours, puisqu'elle vous en a chargé; nous trouverons bien moyen de l'employer à quelque bonne œuvre. »

Je remis l'argent, je saluai et je partis.

Le lendemain Chouquet vint me trouver et, brusquement : « Mais elle a laissé ici sa voiture, cette... cette femme. Qu'est-ce que vous en faites, de cette voiture?

— Rien. Prenez-la si vous voulez.

— Parfait; cela me va; j'en ferai une cabane pour mon potager. »

Il s'en allait. Je le rappelai. « Elle a laissé aussi son vieux cheval et ses deux chiens. Les voulez-vous? » Il s'arrêta, surpris : « Ah! non, par

exemple; que voulez-vous que j'en fasse? Dispo-
sez-en comme vous voudrez. » Et il riait. Puis
il me tendit sa main que je serrai. Que voulez-
vous? Il ne faut pas, dans un pays, que le médecin et le pharmacien soient ennemis.

J'ai gardé les chiens chez moi. Le curé, qui a
une grande cour, a pris le cheval. La voiture
sert de cabane à Chouquet; et il a acheté cinq
obligations de chemin de fer avec l'argent.

Voilà le seul amour profond que j'aie rencontré, dans ma vie. »

Le médecin se tut.

Alors la marquise, qui avait des larmes dans
les yeux, soupira : « Décidément, il n'y a que
les femmes pour savoir aimer! »

EN MER

A Henry Céard.

On lisait dernièrement dans les journaux les lignes suivantes :

Boulogne-sur-mer, 22 janvier. — On nous écrit :

« Un affreux malheur vient de jeter la consternation parmi notre population maritime déjà si éprouvée depuis deux années. Le bateau de pêche commandé par le patron Javel, entrant dans le port, a été jeté à l'Ouest et est venu se briser sur les roches du brise-lames de la jetée.

« Malgré les efforts du bateau de sauvetage et des lignes envoyées au moyen du fusil porte-amarre, quatre hommes et le mousse ont péri.

« Le mauvais temps continue. On craint de nouveaux sinistres. »

Quel est ce patron Javel? Est-il le frère du manchot?

Si le pauvre homme roulé par la vague, et mort peut-être sous les débris de son bateau mis en pièces, est celui auquel je pense, il avait assisté, voici dix-huit ans maintenant, à un autre drame, terrible et simple comme sont toujours ces drames formidables des flots.

Javel aîné était alors patron d'un chalutier.

Le chalutier est le bateau de pêche par excellence. Solide à ne craindre aucun temps, le ventre rond, roulé sans cesse par les lames comme un bouchon, toujours dehors, toujours fouetté par les vents durs et salés de la Manche, il travaille la mer, infatigable, la voile gonflée, traînant par le flanc un grand filet qui racle le fond de l'Océan, et détache et cueille toutes les bêtes endormies dans les roches, les poissons plats collés au sable, les crabes lourds aux pattes crochues, les homards aux moustaches pointues.

Quand la brise est fraîche et la vague courte, le bateau se met à pêcher. Son filet est fixé tout le long d'une grande tige de bois garnie de fer qu'il laisse descendre au moyen de deux câbles glissant sur deux rouleaux aux deux bouts de l'embarcation. Et le bateau, dérivant sous le

vent et le courant, tire avec lui cet appareil qui
ravage et dévaste le sol de la mer.

Javel avait à son bord son frère cadet, quatre
hommes et un mousse. Il était sorti de Boulogne
par un beau temps clair pour jeter le chalut.

Or, bientôt le vent s'éleva et une bourrasque
survenant força le chalutier à fuir. Il gagna les
côtes d'Angleterre; mais la mer démontée battait les falaises, se ruait contre la terre, rendait
impossible l'entrée des ports. Le petit bateau
reprit le large et revint sur les côtes de France.
La tempête continuait à faire infranchissables
les jetées, enveloppant d'écume, de bruit et de
danger tous les abords des refuges.

Le chalutier repartit encore, courant sur le
dos des flots, ballotté, secoué, ruisselant, souffleté par des paquets d'eau, mais gaillard, malgré tout, accoutumé à ces gros temps qui le
tenaient parfois cinq ou six jours errant entre
les deux pays voisins sans pouvoir aborder l'un
ou l'autre.

Puis enfin l'ouragan se calma comme il se
trouvait en pleine mer, et, bien que la vague
fût encore forte, le patron commanda de jeter
le chalut.

Donc le grand engin de pêche fut passé par-dessus bord, et deux hommes à l'avant, deux hommes à l'arrière, commencèrent à filer sur les rouleaux les amarres qui le tenaient. Soudain il toucha le fond, mais une haute lame inclinant le bateau, Javel cadet, qui se trouvait à l'avant et dirigeait la descente du filet, chancela, et son bras se trouva saisi entre la corde un instant détendue par la secousse et le bois où elle glissait. Il fit un effort désespéré, tâchant de l'autre main de soulever l'amarre, mais le chalut traînait déjà et le câble roidi ne céda point.

L'homme crispé par la douleur appela. Tous accoururent. Son frère quitta la barre. Ils se jetèrent sur la corde, s'efforçant de dégager le membre qu'elle broyait. Ce fut en vain. « Faut couper », dit un matelot, et il tira de sa poche un large couteau, qui pouvait, en deux coups, sauver le bras de Javel cadet.

Mais couper, c'était perdre le chalut, et ce chalut valait de l'argent, beaucoup d'argent, quinze cents francs; et il appartenait à Javel aîné, qui tenait à son avoir.

Il cria, le cœur torturé : « Non, coupe pas,

attends, je vas lofer. » Et il courut au gouver-
nail mettant toute la barre dessous.

Le bateau n'obéit qu'à peine, paralysé par ce
filet qui immobilisait son impulsion, et entraîné
d'ailleurs par la force de la dérive et du
vent.

Javel cadet s'était laissé tomber sur les genoux, les dents serrées, les yeux hagards. Il ne
disait rien. Son frère revint, craignant toujours
le couteau d'un marin : « Attends, attends,
coupe pas, faut mouiller l'ancre. »

L'ancre fut mouillée, toute la chaîne filée,
puis on se mit à virer au cabestan pour dé-
tendre les amarres du chalut. Elles s'amollirent,
enfin, et on dégagea le bras inerte, sous la
manche de laine ensanglantée.

Javel cadet semblait idiot. On lui retira la
vareuse et on vit une chose horrible, une bouillie de chairs dont le sang jaillissait à flots qu'on
eût dit poussés par une pompe. Alors l'homme
regarda son bras et murmura : « Foutu. »

Puis, comme l'hémorragie faisait une mare
sur le pont du bateau, un des matelots cria :
« Il va se vider, faut nouer la veine. »

Alors ils prirent une ficelle, une grosse ficelle

brune et goudronnée, et, enlaçant le membre au-dessus de la blessure, ils serrèrent de toute leur force. Les jets de sang s'arrêtaient peu à peu : et finirent par cesser tout à fait.

Javel cadet se leva, son bras pendait à son côté. Il le prit de l'autre main, le souleva, le tourna, le secoua. Tout était rompu, les os cassés; les muscles seuls retenaient ce morceau de son corps. Il le considérait d'un œil morne, réfléchissant. Puis il s'assit sur une voile pliée, et les camarades lui conseillèrent de mouiller sans cesse la blessure pour empêcher le mal noir.

On mit un seau auprès de lui, et de minute en minute, il puisait dedans au moyen d'un verre, et baignait l'horrible plaie en laissant couler dessus un petit filet d'eau claire.

« Tu serais mieux en bas », lui dit son frère. Il descendit, mais au bout d'une heure il remonta, ne se sentant pas bien tout seul. Et puis, il préférait le grand air. Il se rassit sur sa voile et recommença à bassiner son bras.

La pêche était bonne. Les larges poissons à ventre blanc gisaient à côté de lui, secoués par des spasmes de mort; il les regardait sans cesser d'arroser ses chairs écrasées.

Comme on allait regagner Boulogne, un nouveau coup de vent se déchaîna; et le petit bateau recommença sa course folle, bondissant et culbutant, secouant le triste blessé.

La nuit vint. Le temps fut gros jusqu'à l'aurore. Au soleil levant on apercevait de nouveau l'Angleterre, mais, comme la mer était moins dure, on repartit pour la France en louvoyant.

Vers le soir, Javel cadet appela ses camarades et leur montra des traces noires, toute une vilaine apparence de pourriture sur la partie du membre qui ne tenait plus à lui.

Les matelots regardaient, disant leur avis.

« Ça pourrait bien être le Noir, pensait l'un.

— Faudrait de l'iau salée là-dessus », déclarait un autre.

On apporta donc de l'eau salée et on en versa sur le mal. Le blessé devint livide, grinça des dents, se tordit un peu; mais il ne cria pas.

Puis, quand la brûlure se fut calmée : « Donne-moi ton couteau », dit-il à son frère. Le frère tendit son couteau.

« Tiens-moi le bras en l'air, tout drait, tire dessus. »

On fit ce qu'il demandait.

Alors il se mit à couper lui-même. Il coupait doucement, avec réflexion, tranchant les derniers tendons avec cette lame aiguë, comme un fil de rasoir; et bientôt il n'eut plus qu'un moignon. Il poussa un profond soupir et déclara : « Fallait ça. J'étais foutu. »

Il semblait soulagé et respirait avec force. Il recommença à verser de l'eau sur le tronçon de membre qui lui restait.

La nuit fut mauvaise encore et on ne put atterrir.

Quand le jour parut, Javel cadet prit son bras détaché et l'examina longuement. La putréfaction se déclarait. Les camarades vinrent aussi l'examiner, et ils se le passaient, de main en main, le tâtaient, le retournaient, le flairaient.

Son frère dit : « Faut jeter ça à la mer à c't'heure. »

Mais Javel cadet se fâcha : « Ah! mais non, ah! mais non. J'veux point. C'est à moi, pas vrai, pisque c'est mon bras. »

Il le reprit et le posa entre ses jambes.

« Il va pas moins pourrir », dit l'aîné. Alors une idée vint au blessé. Pour conserver le poisson quand on tenait longtemps la mer, on l'empilait en des barils de sel.

Il demanda : « J'pourrions t'y point l'mettre dans la saumure?

— Ça, c'est vrai », déclarèrent les autres.

Alors on vida un des barils, plein déjà de la pêche des jours derniers; et, tout au fond, on déposa le bras. On versa du sel dessus, puis on replaça, un à un, les poissons.

Un des matelots fit cette plaisanterie : « Pourvu que je l'vendions point à la criée. »

Et tout le monde rit, hormis les deux Javel.

Le vent soufflait toujours. On louvoya encore en vue de Boulogne jusqu'au lendemain dix heures. Le blessé continuait sans cesse à jeter de l'eau sur sa plaie.

De temps en temps il se levait et marchait d'un bout à l'autre du bateau.

Son frère, qui tenait la barre, le suivait de l'œil en hochant la tête.

On finit par rentrer au port.

Le médecin examina la blessure et la déclara en bonne voie. Il fit un pansement complet et

ordonna le repos. Mais Javel ne voulut pas se
coucher sans avoir repris son bras, et il retourna
bien vite au port pour retrouver le baril qu'il
avait marqué d'une croix.

On le vida devant lui et il ressaisit son
membre, bien conservé dans sa saumure, ridé,
rafraîchi. Il l'enveloppa dans une serviette emportée à cette intention, et rentra chez lui.

Sa femme et ses enfants examinèrent longuement ce débris du père, tâtant les doigts, enlevant les brins de sel restés sous les ongles; puis
on fit venir le menuisier pour un petit cercueil.

Le lendemain, l'équipage complet du chalutier suivit l'enterrement du bras détaché. Les
deux frères, côte à côte, conduisaient le deuil.
Le sacristain de la paroisse tenait son cadavre
sous son aisselle.

Javel cadet cessa de naviguer. Il obtint un
petit emploi dans le port, et, quand il parlait
plus tard de son accident, il confiait tout bas à
son auditeur : « Si le frère avait voulu couper
le chalut, j'aurais encore mon bras, pour sûr.
Mais il était regardant à son bien. »

UN NORMAND

A Paul Alexis.

Nous venions de sortir de Rouen et nous sui-
vions au grand trot la route de Jumièges. La
légère voiture filait, traversant les prairies; puis
le cheval se mit au pas pour monter la côte de
Canteleu.

C'est là un des horizons les plus magnifiques
qui soient au monde. Derrière nous Rouen, la
ville aux églises, aux clochers gothiques, tra-
vaillés comme des bibelots d'ivoire; en face,
Saint-Sever, le faubourg aux manufactures, qui
dresse ses mille cheminées fumantes sur le grand
ciel vis-à-vis des mille clochetons sacrés de la
vieille cité.

Ici la flèche de la cathédrale, le plus haut
sommet des monuments humains; et là-bas, la
« Pompe à feu » de la « Foudre », sa rivale

presque aussi démesurée, et qui passe d'un mètre la plus géante des pyramides d'Egypte.

Devant nous la Seine se déroulait, ondulante, semée d'îles, bordée à droite de blanches falaises que couronnait une forêt, à gauche de prairies immenses qu'une autre forêt limitait, là-bas, tout là-bas.

De place en place, de grands navires à l'ancre le long des berges du large fleuve. Trois énormes vapeurs s'en allaient, à la queue leu leu, vers le Havre; et un chapelet de bâtiments, formé d'un trois-mâts, de deux goélettes et d'un brick, remontait vers Rouen, traîné par un petit remorqueur vomissant un nuage de fumée noire.

Mon compagnon, né dans le pays, ne regardait même point ce surprenant paysage; mais il souriait sans cesse; il semblait rire en lui-même. Tout à coup, il éclata : « Ah! vous allez voir quelque chose de drôle; la chapelle au père Mathieu. Ça, c'est du nanan, mon bon. »

Je le regardai d'un œil étonné. Il reprit :

« Je vais vous faire sentir un fumet de Normandie qui vous restera dans le nez. Le père Mathieu est le plus beau Normand de la pro-

vince et sa chapelle une des merveilles du
monde, ni plus ni moins; je vais vous donner
d'abord quelques mots d'explication. »

Le père Mathieu, qu'on appelle aussi le père
« La Boisson », est un ancien sergent-major
revenu dans son pays natal. Il unit en des pro-
portions admirables pour faire un ensemble parfait la blague du vieux soldat à la malice
finaude du Normand. De retour au pays, il est
devenu, grâce à des protections multiples et à
des habiletés invraisemblables, gardien d'une
chapelle miraculeuse, une chapelle protégée par
la Vierge et fréquentée principalement par les
filles enceintes. Il a baptisé sa statue merveilleuse :
« Notre-Dame du Gros-Ventre » et il la traite
avec une certaine familiarité goguenarde qui
n'exclut point le respect. Il a composé lui-même
et fait imprimer une prière spéciale pour sa
BONNE VIERGE. Cette prière est un chef-d'œuvre
d'ironie involontaire, d'esprit normand où la
raillerie se mêle à la peur du SAINT, à la peur
superstitieuse de l'influence secrète de quelque
chose. Il ne croit pas beaucoup à sa patronne;
cependant il y croit un peu, par prudence, et il
la ménage, par politique.

Voici le début de cette étonnante oraison :

« Notre bonne madame la Vierge Marie, patronne naturelle des filles-mères en ce pays et par toute la terre, protégez votre servante qui a fauté dans un moment d'oubli. »

.. ..

Cette supplique se termine ainsi :

« Ne m'oubliez pas surtout auprès de votre saint Epoux et intercédez auprès de Dieu le Père pour qu'il m'accorde un bon mari semblable au vôtre. »

Cette prière, interdite par le clergé de la contrée, est vendue par lui sous le manteau, et passe pour salutaire à celles qui la récitent avec onction.

En somme, il parle de la bonne Vierge, comme faisait de son maître le valet de chambre d'un prince redouté, confident de tous les petits secrets intimes. Il sait sur son compte une foule d'histoires amusantes, qu'il dit tout bas, entre amis, après boire.

Mais vous verrez par vous-même.

Comme les revenus fournis par la Patronne

ne lui semblaient point suffisants, il a annexé
à la Vierge principale un petit commerce de
Saints. Il les tient tous ou presque tous. La
place manquant dans la chapelle, il les a emma-
gasinés au bûcher, d'où il les sort sitôt qu'un
fidèle les demande. Il a façonné lui-même ces
statuettes de bois, invraisemblablement comiques, et les a peintes toutes en vert à pleine
couleur, une année qu'on badigeonnait sa maison. Vous savez que les saints guérissent les
maladies; mais chacun a sa spécialité; et il ne
faut pas commettre de confusion ni d'erreurs.
Ils sont jaloux les uns des autres comme des
cabotins.

Pour ne pas se tromper, les vieilles bonnes
femmes viennent consulter Mathieu.

« Pour les maux d'oreilles, qué saint qu'est
l'meilleur? »

Mais y a saint Osyme qu'est bon; y a aussi
saint Pamphile qu'est pas mauvais.

Ce n'est pas tout.

Comme Mathieu a du temps de reste, il boit;
mais il boit en artiste, en convaincu, si bien
qu'il est gris régulièrement tous les soirs. Il est
gris, mais il le sait; il le sait si bien qu'il note,

chaque jour, le degré exact de son ivresse. C'est
là sa principale occupation; la chapelle ne vient
qu'après.

Et il a inventé — écoutez bien et cramponnez-
vous — il a inventé le saoulomètre.

L'instrument n'existe pas, mais les observations de Mathieu sont aussi précises que celles
d'un mathématicien.

Vous l'entendez dire sans cesse : « D'puis
lundi, j'ai passé quarante-cinq. »

Ou bien : « J'étais entre cinquante-deux et
cinquante-huit. »

Ou bien : « J'en avais bien soixante-six à
soixante-dix. »

Ou bien : « Cré coquin, je me croyais dans
les cinquante, v'là que j'm'aperçois qu'j'étais
dans les soixante-quinze! »

Jamais il ne se trompe.

Il affirme n'avoir pas atteint le mètre, mais
comme il avoue que ses observations cessent
d'être précises quand il a passé quatre-vingt-dix,
on ne peut se fier absolument à son observation.

Quand Mathieu reconnaît avoir passé quatre-
vingt-dix, soyez tranquille, il était crânement
gris.

Dans ces occasions-là, sa femme, Mélie, une autre merveille, se met en des colères folles. Elle l'attend sur sa porte, quand il rentre, et elle hurle : « Te voilà, salaud, cochon, bougre d'ivrogne! »

Alors Mathieu, qui ne rit plus, se campe en face d'elle, et, d'un ton sévère : « Tais-toi, Mélie, c'est pas le moment de causer. Attends à d'main. »

Si elle continue à vociférer, il s'approche et, la voix tremblante : « Gueule plus; j'suis dans les quatre-vingt-dix; je n'mesure plus! j'vas cogner, prends garde! »

Alors, Mélie bat en retraite.

Si elle veut, le lendemain, revenir sur ce sujet, il lui rit au nez et répond : « Allons, allons, assez causé; c'est passé. Tant qu'j'aurai pas atteint le mètre, y a pas de mal. Mais, si j'passe le mètre, j'te permets de m'corriger, ma parole! »

Nous avions gagné le sommet de la côte. La route s'enfonçait dans l'admirable forêt de Roumare.

L'automne, l'automne merveilleux, mêlait son

or et sa pourpre aux dernières verdures restées
vives, comme si des gouttes de soleil fondu
avaient coulé du ciel dans l'épaisseur des bois.

On traversa Duclair; puis, au lieu de conti-
nuer sur Jumièges, mon ami tourna vers la
gauche, et, prenant un chemin de traverse, s'enfonça dans le taillis.

Et bientôt, du sommet d'une grande côte nous
découvrions de nouveau la magnifique vallée de
la Seine et le fleuve tortueux s'allongeant à nos
pieds.

Sur la droite, un tout petit bâtiment couvert d'ardoises et surmonté d'un clocher haut
comme une ombrelle s'adossait contre une jolie
maison aux persiennes vertes, toute vêtue de chè-
vrefeuilles et de rosiers.

Une grosse voix cria : « V'là des amis! »
Et Mathieu parut sur le seuil. C'était un homme
de soixante ans, maigre, portant la barbiche et
de longues moustaches blanches.

Mon compagnon lui serra la main, me présenta, et Mathieu nous fit entrer dans une
fraîche cuisine qui lui servait aussi de salle. Il
disait :

« Moi, monsieur, j'n'ai pas d'appartement dis-

tingué. J'aime bien à n'point m'éloigner du
fricot. Les casseroles, voyez-vous, ça tient com-
pagnie. »

Puis, se tournant vers mon ami :

« Pourquoi venez-vous un jeudi? Vous savez
bien que c'est le jour de consultation d'ma Patronne. J'peux pas sortir c't'après-midi. »

Et, courant à la porte, il poussa un effroyable
beuglement : « Méli-e-e! » qui dut faire lever
la tête aux matelots des navires qui descendaient ou remontaient le fleuve, là-bas, tout au
fond de la creuse vallée.

Mélie ne répondit point.

Alors Mathieu cligna de l'œil avec malice.

« A n'est pas contente après moi, voyez-vous,
parce qu'hier je m'suis trouvé dans les quatre-
vingt-dix. »

Mon voisin se mit à rire : « Dans les quatre-
vingt-dix, Mathieu! Comment avez-vous fait? »

Mathieu répondit :

« J'vas vous dire. J'n'ai trouvé, l'an dernier,
qu'vingt rasières d'pommes d'abricot. Y n'y en
a pu; mais, pour faire du cidre, y n'y a qu'ça.
Donc j'en fis une pièce qu'je mis hier en perce.
Pour du nectar, c'est du nectar; vous m'en direz

des nouvelles. J'avais ici Polyte; j'nous mettons à boire un coup, et puis encore un coup, sans s'rassasier (on en boirait jusqu'à d'main), si bien que, d'coup en coup, je m'sens une fraîcheur dans l'estomac. J'dis à Polyte : « Si on buvait « un verre de fine pour se réchauffer! » Y consent. Mais c'te fine, ça vous met l'feu dans le corps, si bien qu'il a fallu r'venir au cidre. Mais v'là que d'fraîcheur en chaleur et d'chaleur en fraîcheur, j'm'aperçois que j'suis dans les quatre-vingt-dix. Polyte était pas loin du mètre. »

La porte s'ouvrit. Mélie parut, et tout de suite avant de nous avoir dit bonjour : « ... Crès cochon, vous aviez bien l'mètre tous les deux. »

Alors Mathieu se fâcha : « Dis pas ça, Mélie, dis pas ça; j'ai jamais été au mètre. »

On nous fit un déjeuner exquis, devant la porte, sous deux tilleuls, à côté de la petite chapelle de « Notre-Dame du Gros-Ventre » et en face de l'immense paysage. Et Mathieu nous raconta, avec raillerie mêlée de crédulité inattendue, d'invraisemblables histoires de miracles.

Nous avions bu beaucoup de cidre adorable, piquant et sucré, frais et grisant, qu'il préfé-

rait à tous les liquides, et nous fumions nos
pipes, à cheval sur nos chaises, quand deux
bonnes femmes se présentèrent.

Elles étaient vieilles, sèches, courbées. Après
avoir salué, elles demandèrent saint Blanc.
Mathieu cligna de l'œil vers nous et répondit :

« J'vas vous donner ça. »

Et il disparut dans son bûcher.

Il y resta bien cinq minutes; puis il revint
avec une figure consternée. Il levait les bras :

« J'sais pas oùs qu'il est, je l'trouve pu; j'suis
pourtant sûr que je l'avais. »

Alors, faisant de ses mains un porte-voix, il
mugit de nouveau : « Méli-e-e! » Du fond de
la cour sa femme répondit :

« Qué qu'y a?

— Ousqu'il est saint Blanc! Je l'trouve pu
dans l'bûcher. »

Alors, Mélie jeta cette explication :

« C'est-y pas celui qu't'as pris l'aut'e semaine
pour boucher l'trou d'la cabane à lapins? »

Mathieu tressaillit : « Nom d'un tonnerre, ça
s'peut bien! »

Alors il dit aux femmes : « Suivez-moi. »

Elles suivirent. Nous en fîmes autant, malades de rires étouffés.

En effet, saint Blanc, piqué en terre comme un simple pieu, maculé de boue et d'ordures, servait d'angle à la cabane à lapins.

Dès qu'elles l'aperçurent, les deux bonnes femmes tombèrent à genoux, se signèrent et se mirent à murmurer des *Oremus*. Mais Mathieu se précipita : « Attendez, vous v'là dans la crotte; j'vas vous donner une botte de paille. »

Il alla chercher la paille et leur en fit un prie-Dieu. Puis, considérant son saint fangeux, et, craignant sans doute un discrédit pour son commerce, il ajouta :

« J'vas vous l'débrouiller un brin. »

Il prit un seau d'eau, une brosse et se mit à laver vigoureusement le bonhomme de bois, pendant que les deux vieilles priaient toujours.

Puis, quand il eut fini, il ajouta : « Maintenant il n'y a plus d'mal. » Et il nous ramena boire un coup.

Comme il portait le verre à sa bouche, il s'arrêta, et, d'un air un peu confus : « C'est égal, quand j'ai mis saint Blanc aux lapins, j'croyais bien qu'i' n'f'rait pu d'argent. Y avait deux ans qu'on n'le d'mandait plus. Mais les saints, voyez-vous, ça n'passe jamais. »

Il but et reprit :

« Allons, buvons encore un coup. Avec des amis y n'faut pas y aller à moins d'cinquante; et j'n'en sommes seulement pas à trente-huit. »

LE TESTAMENT

A Paul Hervieu.

Je connaissais ce grand garçon qui s'appelait
René de Bourneval. Il était de commerce aimable, bien qu'un peu triste, semblait revenu
de tout, fort sceptique, d'un scepticisme précis
et mordant, habile surtout à désarticuler d'un
mot les hypocrisies mondaines. Il répétait souvent : « Il n'y a pas d'hommes honnêtes; ou du
moins il ne le sont que relativement aux cra-
pules. »

Il avait deux frères qu'il ne voyait point,
MM. de Courcils. Je le croyais d'un autre lit,
vu leurs noms différents. On m'avait dit à plusieurs reprises qu'une histoire étrange s'était
passée en cette famille, mais sans donner aucun
détail.

Cet homme me plaisant tout à fait, nous

fûmes bientôt liés. Un soir, comme j'avais dîné
chez lui en tête-à-tête, je lui demandai par
hasard : « Etes-vous né du premier ou du second
mariage de Mme votre mère? » Je le vis pâlir
un peu, puis rougir; et il demeura quelques
secondes sans parler, visiblement embarrassé.
Puis il sourit d'une façon mélancolique et douce
qui lui était particulière, et il dit : « Mon cher
ami, si cela ne vous ennuie point, je vais vous
donner sur mon origine des détails bien sin-
guliers. Je vous sais un homme intelligent, je
ne crains donc pas que votre amitié en souffre,
et si elle en devait souffrir, je ne tiendrais plus
alors à vous avoir pour ami.

Ma mère, Mme de Courcils, était une pauvre
petite femme timide, que son mari avait épousée pour sa fortune. Toute sa vie fut un martyre.
D'âme aimante, craintive, délicate, elle fut ru-
doyée sans répit par celui qui aurait dû être
mon père, un de ces rustres qu'on appelle des
gentilshommes campagnards. Au bout d'un mois
de mariage, il vivait avec une servante. Il eut
en outre pour maîtresses les femmes et les filles
de ses fermiers; ce qui ne l'empêcha point
d'avoir deux enfants de sa femme; on devrait

compter trois, en me comprenant. Ma mère
ne disait rien; elle vivait dans cette maison toujours bruyante comme ces petites souris qui glissent sous les meubles. Effacée, disparue, frémissante, elle regardait les siens de ses yeux inquiets
et clairs, toujours mobiles, des yeux d'être effaré
que la peur ne quitte pas. Elle était jolie pourtant, fort jolie, toute blonde d'un blond gris,
d'un blond timide; comme si ses cheveux
avaient été un peu décolorés par ses craintes
incessantes.

Parmi les amis de M. de Courcils qui venaient constamment au château, se trouvait un
ancien officier de cavalerie, veuf, homme redouté, tendre et violent, capable des résolutions
les plus énergiques, M. de Bourneval, dont je
porte le nom. C'était un grand gaillard maigre,
avec de grosses moustaches noires. Je lui ressemble beaucoup. Cet homme avait lu, et ne
pensait nullement comme ceux de sa classe. Son
arrière-grand-mère avait été une amie de
J.-J. Rousseau, et on eût dit qu'il avait hérité
quelque chose de cette liaison d'une ancêtre.
Il savait par cœur le *Contrat social,* la *Nouvelle
Héloïse* et tous ces livres philosophants qui ont

préparé de loin le futur bouleversement de nos
antique usages, de nos préjugés, de nos lois su-
rannées, de notre morale imbécile.

Il aima ma mère, paraît-il, et en fut aimé.
Cette liaison demeura tellement secrète que personne ne la soupçonna. La pauvre femme, dé-
laissée et triste, dut s'attacher à lui d'une façon
désespérée, et prendre dans son commerce toutes
ses manières de penser, des théories de libre sentiment, des audaces d'amour indépendant; mais,
comme elle était si craintive qu'elle n'osait jamais parler haut, tout cela fut refoulé, condensé,
pressé en son cœur qui ne s'ouvrit jamais.

Mes deux frères étaient durs pour elle, comme
leur père, ne la caressaient point, et, habitués à
ne la voir compter pour rien dans la maison, la
traitaient un peu comme une bonne.

Je fus le seul de ses fils qui l'aimât vraiment
et qu'elle aimât.

Elle mourut. J'avais alors dix-huit ans. Je
dois ajouter, pour que vous compreniez ce qui
va suivre, que son mari était doté d'un conseil
judiciaire, qu'une séparation de biens avait été
prononcée au profit de ma mère, qui avait
conservé, grâce aux artifices de la loi et au

dévouement intelligent d'un notaire, le droit de tester à sa guise.

Nous fûmes donc prévenus qu'un testament existait chez ce notaire, et invités à assister à la lecture.

Je me rappelle cela comme d'hier. Ce fut une scène grandiose, dramatique, burlesque, surprenante, amenée par la révolte posthume de cette morte, par ce cri de liberté, cette revendication du fond de la tombe de cette martyre écrasée par nos mœurs durant sa vie, et qui jetait, de son cercueil clos, un appel désespéré vers l'indépendance.

Celui qui se croyait mon père, un gros homme sanguin éveillant l'idée d'un boucher, et mes frères, deux forts garçons de vingt et de vingt-deux ans, attendaient tranquilles sur leurs sièges. M. de Bourneval, invité à se présenter, entra et se plaça derrière moi. Il était serré dans sa redingote, fort pâle, et il mordillait souvent sa moustache, un peu grise à présent. Il s'attendait sans doute à ce qui allait se passer.

Le notaire ferma la porte à double tour et commença la lecture, après avoir décacheté devant nous l'enveloppe scellée à la cire rouge et dont il ignorait le contenu.

Brusquement mon ami se tut, se leva, puis il alla prendre dans son secrétaire un vieux papier, le déplia, le baisa longuement, et il reprit. Voici le testament de ma bien-aimée mère :

« Je, soussignée, Anne-Catherine-Geneviève-Mathilde de Croixluce, épouse légitime de Jean-Léopold-Joseph-Gontran de Courcils, saine de corps et d'esprit, exprime ici mes dernières volontés.

« Je demande pardon à Dieu d'abord, et ensuite à mon cher fils René, de l'acte que je vais commettre. Je crois mon enfant assez grand de cœur pour me comprendre et me pardonner. J'ai souffert toute ma vie. J'ai été épousée par calcul, puis méprisée, méconnue, opprimée, trompée sans cesse par mon mari.

« Je lui pardonne, mais je ne lui dois rien.

« Mes fils aînés ne m'ont point aimée, ne m'ont point gâtée, m'ont à peine traitée comme une mère.

« J'ai été pour eux, durant ma vie, ce que je

devais être; je ne leur dois plus rien après ma
mort. Les liens du sang n'existent pas sans l'affection constante, sacrée, de chaque jour. Un
fils ingrat est moins qu'un étranger; c'est un
coupable, car il n'a pas le droit d'être indiffé-
rent pour sa mère.

« J'ai toujours tremblé devant les hommes,
devant leurs lois iniques, leurs coutumes inhu-
maines, leurs préjugés infâmes. Devant Dieu, je
ne crains plus. Morte, je rejette de moi la hon-
teuse hypocrisie; j'ose dire ma pensée, avouer
et signer le secret de mon cœur.

« Donc, je laisse en dépôt toute la partie de
ma fortune dont la loi me permet de disposer,
à mon amant bien-aimé Pierre-Germer-Simon
de Bourneval, pour revenir ensuite à notre cher
fils René.

(Cette volonté est formulée, en outre, d'une
façon plus précise, dans un acte notarié.)

« Et, devant le Juge suprême qui m'entend,
je déclare que j'aurais maudit le Ciel et l'existence si je n'avais rencontré l'affection profonde,
dévouée, tendre, inébranlable de mon amant,
si je n'avais compris dans ses bras que le Créa-
teur a fait les êtres pour s'aimer, se soutenir, se

consoler, et pleurer ensemble dans les heures
d'amertume.

« Mes deux fils aînés ont pour père M. de
Courcils. René seul doit la vie à M. de Bourneval. Je prie le Maître des hommes et de leurs
destinées de placer au-dessus des préjugés so-
ciaux le père et le fils, de les faire s'aimer jusqu'à leur mort et m'aimer encore dans mon
cercueil.

« Mathilde de Croixluce. »

M. de Courcils s'était levé; il cria : « C'est
là le testament d'une folle! » Alors M. de Bourneval fit un pas et déclara d'une voix forte,
d'une voix tranchante : « Moi, Simon de Bourneval, je déclare que cet écrit ne renferme que
la stricte vérité. Je suis prêt à le prouver même
par les lettres que j'ai. »

Alors M. de Courcils marcha vers lui. Je crus
qu'ils allaient se colleter. Ils étaient là, grands
tous deux, l'un gros, l'autre maigre, frémis-
sants. Le mari de ma mère articula en bégayant :
« Vous êtes un misérable! » L'autre prononça
du même ton vigoureux et sec : « Nous nous
retrouverons autre part, monsieur. Je vous au-

rais déjà souffleté et provoqué depuis longtemps si je n'avais tenu avant tout à la tranquillité, durant sa vie, de la pauvre femme que vous avez tant fait souffrir. »

Puis il se tourna vers moi : « Vous êtes mon fils. Voulez-vous me suivre? Je n'ai pas le droit de vous emmener, mais je le prends, si vous voulez bien m'accompagner. »

Je lui serrai la main sans répondre. Et nous sommes sortis ensemble. J'étais, certes, aux trois quarts fou.

Deux jours plus tard M. de Bourneval tuait en duel M. de Courcils. Mes frères, par crainte d'un affreux scandale, se sont tus. Je leur ai cédé et ils ont accepté la moitié de la fortune laissée par ma mère.

J'ai pris le nom de mon père véritable, renonçant à celui que la loi me donnait et qui n'était pas le mien.

M. de Bourneval est mort depuis cinq ans. Je ne suis point encore consolé.

Il se leva, fit quelques pas, et, se plaçant en face de moi : « Eh bien, je dis que le testament de ma mère est une des choses les plus belles, les plus loyales, les plus grandes qu'une femme puisse accomplir. N'est-ce pas votre avis? »

Je lui tendis les deux mains : « Oui, certainement, mon ami. »

AUX CHAMPS

A Octave Mirbeau.

Les deux chaumières étaient côte à côte, au pied d'une colline, proches d'une petite ville de bains. Les deux paysans besognaient dur sur la terre inféconde pour élever tous leurs petits. Chaque ménage en avait quatre. Devant les deux portes voisines, toute la marmaille grouillait du matin au soir. Les deux aînés avaient six ans et les deux cadets quinze mois environ; les mariages, et ensuite les naissances, s'étaient produites à peu près simultanément dans l'une et l'autre maison.

Les deux mères distinguaient à peine leurs produits dans le tas; et les deux pères confondaient tout à fait. Les huit noms dansaient dans leur tête, se mêlaient sans cesse; et, quand il fallait en appeler un, les hommes souvent en criaient trois avant d'arriver au véritable.

La première des deux demeures, en venant de la station d'eaux de Rolleport, était occupée par les Tuvache, qui avaient trois filles et un garçon; l'autre masure abritait les Vallin, qui avaient une fille et trois garçons.

Tout cela vivait péniblement de soupe, de pommes de terre et de grand air. A sept heures, le matin, puis à midi, puis à six heures, le soir, les ménagères réunissaient leurs mioches pour donner la pâtée, comme des gardeurs d'oies assemblent leurs bêtes. Les enfants étaient assis, par rang d'âge, devant la table en bois, vernie par cinquante ans d'usage. Le dernier moutard avait à peine la bouche au niveau de la planche. On posait devant eux l'assiette creuse pleine de pain molli dans l'eau où avaient cuit les pommes de terre, un demi-chou et trois oignons; et toute la lignée mangeait jusqu'à plus faim. La mère empâtait elle-même le petit. Un peu de viande au pot-au-feu, le dimanche, était une fête pour tous; et le père, ce jour-là, s'attardait au repas en répétant : « Je m'y ferais bien tous les jours. »

Par un après-midi du mois d'août, une légère voiture s'arrêta brusquement devant les deux

chaumières, et une jeune femme, qui condui-
sait elle-même, dit au monsieur assis à côté
d'elle :

« Oh! regarde, Henri, ce tas d'enfants! Sont-ils
jolis, comme ça, à grouiller dans la poussière. »

L'homme ne répondit rien, accoutumé à ces
admirations qui étaient une douleur et presque
un reproche pour lui.

La jeune femme reprit :

« Il faut que je les embrasse! Oh! comme je
voudrais en avoir un, celui-là, le tout petit. »

Et, sautant de la voiture, elle courut aux enfants, prit un des deux derniers, celui des
Tuvaché, et, l'enlevant dans ses bras, elle le
baisa passionnément sur ses joues sales, sur ses
cheveux blonds et pommadés de terre, sur ses
menottes qu'il agitait pour se débarrasser des
caresses ennuyeuses.

Puis elle remonta dans sa voiture et partit
au grand trot. Mais elle revint la semaine sui-
vante, s'assit elle-même par terre, prit le moutard dans ses bras, le bourra de gâteaux, donna
des bonbons à tous les autres; et joua avec eux
comme une gamine, tandis que son mari attendait patiemment dans sa frêle voiture.

Elle revint encore, fit connaissance avec les parents, reparut tous les jours, les poches pleines de friandises et de sous.

Elle s'appelait Mme Henri d'Hubières.

Un matin, en arrivant, son mari descendit avec elle; et, sans s'arrêter aux mioches, qui la connaissaient bien maintenant, elle pénétra dans la demeure des paysans.

Ils étaient là, en train de fendre du bois pour la soupe : ils se redressèrent tout surpris, donnèrent des chaises et attendirent. Alors la jeune femme, d'une voix entrecoupée, tremblante, commença :

« Mes braves gens, je viens vous trouver parce que je voudrais bien... je voudrais bien emmener avec moi votre... votre petit garçon. »

Les campagnards, stupéfaits et sans idée, ne répondirent pas.

Elle reprit haleine et continua.

« Nous n'avons pas d'enfants; nous sommes seuls, mon mari et moi... Nous le garderions... voulez-vous? »

La paysanne commençait à comprendre. Elle demanda :

« Vous voulez nous prend'e Charlot? Ah! ben non, pour sûr. »

Alors M. d'Hubières intervint :

« Ma femme s'est mal expliquée. Nous voulons l'adopter, mais il reviendra vous voir. S'il tourne bien, comme tout porte à le croire, il sera notre héritier. Si nous avions, par hasard, des enfants, il partagerait également avec eux. Mais s'il ne répondait pas à nos soins, nous lui donnerions, à sa majorité, une somme de vingt mille francs, qui sera immédiatement déposée en son nom chez un notaire. Et, comme on a aussi pensé à vous, on vous servira jusqu'à votre mort une rente de cent francs par mois. Avez-vous bien compris? »

La fermière s'était levée, toute furieuse.

« Vous voulez que j'vous vendions Charlot? Ah! mais non; c'est pas des choses qu'on d'mande à une mère, ça! Ah! mais non! Ce serait une abomination. »

L'homme ne disait rien, grave et réfléchi; mais il approuvait sa femme d'un mouvement continu de la tête.

Mme d'Hubières, éperdue, se mit à pleurer, et, se tournant vers son mari, avec une voix

pleine de sanglots, une voix d'enfant dont tous
les désirs ordinaires sont satisfaits, elle balbutia :

« Ils ne veulent pas, Henri, ils ne veulent
pas! »

Alors ils firent une dernière tentative.

« Mais, mes amis, songez à l'avenir de votre
enfant, à son bonheur, à... »

La paysanne, exaspérée, lui coupa la parole :

« C'est tout vu, c'est tout entendu, c'est tout
réfléchi... Allez-vous-en, et pi, que j'vous revoie
point par ici. C'est-i permis d'vouloir prendre
un éfant comme ça! »

Alors, Mme d'Hubières, en sortant, s'avisa
qu'ils étaient deux tout petits, et elle demanda
à travers ses larmes, avec une ténacité de
femme volontaire et gâtée, qui ne veut jamais
attendre :

« Mais l'autre petit n'est pas à vous? »

Le père Tuvache répondit :

« Non, c'est aux voisins; vous pouvez y aller
si vous voulez. »

Et il rentra dans sa maison, où retentissait la
voix indignée de sa femme.

Les Vallin étaient à table, en train de manger
avec lenteur des tranches de pain qu'ils frot-

taient parcimonieusement avec un peu de
beurre piqué au couteau, dans une assiette entre
eux deux.

M. d'Hubières recommença ses propositions,
mais avec plus d'insinuations, de précautions
oratoires, d'astuce.

Les deux ruraux hochaient la tête en signe
de refus; mais quand ils apprirent qu'ils auraient cent francs par mois, ils se considérèrent,
se consultant de l'œil, très ébranlés.

Ils gardèrent longtemps le silence, torturés,
hésitants. La femme enfin demanda :

« Qué qu't'en dis, l'homme? »

Il prononça d'un ton sentencieux :

« J'dis qu'c'est point méprisable. »

Alors Mme d'Hubières, qui tremblait d'angoisse, leur parla de l'avenir du petit, de son
bonheur, et de tout l'argent qu'il pourrait leur
donner plus tard.

Le paysan demanda :

« C'te rente de douze cents francs ce s'ra
promis d'vant l'notaire? »

M. d'Hubières répondit :

« Mais certainement, dès demain. »

La fermière, qui méditait, reprit :

« Cent francs par mois, c'est point suffisant pour nous priver du p'tit; ça travaillera dans quéqu'z'ans, ct'éfant; i nous faut cent vingt francs. »

Mme d'Hubières, trépignant d'impatience, les accorda tout de suite; et, comme elle voulait enlever l'enfant, elle donna cent francs en cadeau pendant que son mari faisait un écrit. Le maire et un voisin, appelés aussitôt, servirent de témoins complaisants.

Et la jeune femme, radieuse, emporta le marmot hurlant, comme on emporte un bibelot désiré d'un magasin.

Les Tuvache, sur leur porte, le regardaient partir, muets, sévères, regrettant peut-être leur refus.

On n'entendit plus du tout parler du petit Jean Vallin. Les parents, chaque mois, allaient toucher leurs cent vingt francs chez le notaire; et ils étaient fâchés avec leurs voisins parce que la mère Tuvache les agonisait d'ignominies, répétant sans cesse de porte en porte qu'il fallait être dénaturé pour vendre son enfant, que c'était une horreur, une saleté, une corromperie.

Et parfois elle prenait en ses bras son Charlot avec ostentation, lui criant, comme s'il eût compris :

« J'tai pas vendu, mé, j't'ai pas vendu, mon p'tiot. J'vends pas m's éfants, mé. J'sieus pas riche, mais vends pas m's éfants. »

Et, pendant des années et encore des années, ce fut ainsi chaque jour des allusions grossières qui étaient vociférées devant la porte, de façon à entrer dans la maison voisine. La mère Tuvache avait fini par se croire supérieure à toute la contrée parce qu'elle n'avait pas vendu Charlot. Et ceux qui parlaient d'elle disaient :

« J'sais ben que c'était engageant, c'est égal, elle s'a conduite comme une bonne mère. »

On la citait; et Charlot, qui prenait dix-huit ans, élevé dans cette idée qu'on lui répétait sans répit, se jugeait lui-même supérieur à ses camarades, parce qu'on ne l'avait pas vendu.

Les Vallin vivotaient à leur aise, grâce à la pension. La fureur inapaisable des Tuvache, restés misérables, venait de là.

Leur fils aîné partit au service. Le second mourut; Charlot resta seul à peiner avec le

vieux père pour nourrir la mère et deux
autres sœurs cadettes qu'il avait.

Il prenait vingt et un ans, quand, un matin,
une brillante voiture s'arrêta devant les deux
chaumières. Un jeune monsieur, avec une
chaîne de montre en or, descendit, donnant la
main à une vieille dame aux cheveux blancs.
La vieille dame lui dit :

« C'est là, mon enfant, à la seconde maison. »

Et il entra comme chez lui dans la maison
des Vallin.

La vieille mère lavait ses tabliers; le père,
infirme, sommeillait près de l'âtre. Tous deux
levèrent la tête, et le jeune homme dit :

« Bonjour, papa; bonjour, maman. »

Ils se dressèrent, effarés. La paysanne laissa
tomber d'émoi son savon dans son eau et
balbutia :

« C'est-i té, m'n éfant? C'est-i té, m'n éfant? »

Il la prit dans ses bras et l'embrassa, en répétant : « Bonjour, maman. » Tandis que le
vieux, tout tremblant, disait, de son ton calme
qu'il ne perdait jamais : « Te v'là-t'i revenu
Jean? » Comme s'il l'avait vu un mois auparavant.

Et, quand ils se furent reconnus, les parents voulurent tout de suite sortir le fieu dans le pays pour le montrer. On le conduisit chez le maire, chez l'adjoint, chez le curé, chez l'instituteur.

Charlot, debout sur le seuil de sa chaumière, le regardait passer.

Le soir, au souper, il dit aux vieux :

« Faut-i qu' vous ayez été sots pour laisser prendre le p'tit aux Vallin! »

Sa mère répondit obstinément :

« J'voulions point vendre not' éfant! »

Le père ne disait rien.

Le fils reprit :

« C'est-i pas malheureux d'être sacrifié comme ça! »

Alors le père Tuvache articula d'un ton coléreux :

« Vas-tu pas nous r'procher d' t'avoir gardé? »

Et le jeune homme, brutalement :

« Oui, j'vous le r'proche, que vous n'êtes que des niants. Des parents comme vous, ça fait l' malheur des éfants. Qu'vous mériteriez que j'vous quitte. »

La bonne femme pleurait dans son assiette.

Elle gémit tout en avalant des cuillerées de soupe dont elle répandait la moitié :

« Tuez-vous donc pour élever d's éfants! »

Alors le gars, rudement :

« J'aimerais mieux n'être point né que d'être c' que j'suis. Quand j'ai vu l'autre, tantôt, mon sang n'a fait qu'un tour. Je m'suis dit : v'là c'que j'serais maintenant! »

Il se leva.

« Tenez, j'sens bien que je ferai mieux de n'pas rester ici, parce que j'vous le reprocherais du matin au soir, et que j'vous ferais une vie d'misère. Ça, voyez-vous, j'vous l'pardonnerai jamais! »

Les deux vieux se taisaient, atterrés, larmoyants!

Il reprit :

« Non, c't'idée-là, ce serait trop dur. J'aime mieux m'en aller chercher ma vie aut' part! »

Il ouvrit la porte. Un bruit de voix entra. Les Vallin festoyaient avec l'enfant revenu.

Alors Charlot tapa du pied et, se tournant vers ses parents, cria :

« Manants, va! »

Et il disparut dans la nuit.

UN COQ CHANTA

A René Billotte.

MADAME BERTHE D'AVANCELLES avait jusque-là repoussé toutes les supplications de son admirateur désespéré, le baron Joseph de Croissard. Pendant l'hiver à Paris, il l'avait ardemment poursuivie, et il donnait pour elle maintenant des fêtes et des chasses en son château normand de Carville.

Le mari, M. d'Avancelles, ne voyait rien, ne savait rien, comme toujours. Il vivait, disait-on, séparé de sa femme, pour cause de faiblesse physique, que madame ne lui pardonnait point. C'était un gros petit homme, chauve, court de bras, de jambes, de cou, de nez, de tout.

Mme d'Avancelles était au contraire une grande jeune femme brune et déterminée, qui riait d'un rire sonore au nez de son maître, qui

l'appelait publiquement « Madame Popote », et
regardait d'un certain air engageant et tendre les
larges épaules et l'encolure robuste et les longues moustaches blondes de son soupirant attitré,
le baron Joseph de Croissard.

Elle n'avait encore rien accordé cependant.
Le baron se ruinait pour elle. C'étaient sans
cesse des fêtes, des chasses, des plaisirs nouveaux
auxquels il invitait la noblesse des châteaux en-
vironnants.

Tout le jour, les chiens courants hurlaient par
les bois à la suite du renard et du sanglier, et,
chaque soir, d'éblouissants feux d'artifice allaient
mêler aux étoiles leurs panaches de feu, tandis
que les fenêtres illuminées du salon jetaient
sur les vastes pelouses des traînées de lumière
où passaient des ombres.

C'était l'automne, la saison rousse. Les feuilles
voltigeaient sur les gazons comme des volées
d'oiseaux. On sentait traîner dans l'air des
odeurs de terre humide, de terre dévêtue, comme
on sent une odeur de chair nue, quand tombe,
après le bal, la robe d'une femme.

Un soir, dans une fête, au dernier printemps,
Mme d'Avancelles avait répondu à M. de Crois-

sard qui la harcelait de ses prières : « Si je dois
tomber, mon ami, ce ne sera pas avant la chute
des feuilles. J'ai trop de choses à faire cet été
pour avoir le temps. » Il s'était souvenu de
cette parole rieuse et hardie; et, chaque jour, il
avançait ses approches, il gagnait un pas dans le
cœur de la belle audacieuse qui ne résistait plus,
semblait-il, que pour la forme.

Une grande chasse allait avoir lieu. Et, la
veille, Mme Berthe avait dit, en riant, au baron :
« Baron, si vous tuez la bête, j'aurai quelque
chose pour vous. »

Dès l'aurore, il fut debout pour reconnaître
où le solitaire s'était baugé. Il accompagna ses
piqueurs, disposa les relais, organisa tout lui-
même pour préparer son triomphe; et, quand les
cors sonnèrent le départ, il apparut dans un
étroit vêtement de chasse rouge et or, les reins
serrés, le buste large, l'œil radieux, frais et fort
comme s'il venait de sortir du lit.

Les chasseurs partirent. Le sanglier débusqué
fila, suivi des chiens hurleurs, à travers des
broussailles; et les chevaux se mirent à galoper,
emportant par les étroits sentiers des bois les
amazones et les cavaliers, tandis que, sur les

chemins amollis, roulaient sans bruit les voi-
tures qui accompagnaient de loin la chasse.

Mme d'Avancelles, par malice, retint le baron
près d'elle, s'attardant, au pas, dans une grande
avenue interminablement droite et longue et sur
laquelle quatre rangs de chênes se repliaient
comme une voûte.

Frémissant d'amour et d'inquiétude, il écoutait d'une oreille le bavardage moqueur de la
jeune femme, et de l'autre il suivait le chant
des cors et la voix des chiens qui s'éloignaient.

« Vous ne m'aimez donc plus? » disait-elle.

Il répondait : « Pouvez-vous dire des choses
pareilles? »

Elle reprenait : « La chasse cependant semble
vous occuper plus que moi. »

Il gémissait : « Ne m'avez-vous point donné
l'ordre d'abattre moi-même l'animal? »

Et elle ajoutait gravement : « Mais j'y compte.
Il faut que vous le tuiez devant moi. »

Alors il frémissait sur sa selle, piquait son
cheval qui bondissait, et, perdant patience :
« Mais sacristi! Madame, cela ne se pourra pas
si nous restons ici. »

Puis elle lui parlait tendrement, posant la

main sur son bras, ou flattant, comme par dis-
traction, la crinière de son cheval.

Et elle lui jetait, en riant : « Il faut que cela
soit, pourtant... ou alors... tant pis pour vous. »

Puis ils tournèrent à droite dans un petit
chemin couvert, et soudain, pour éviter une
branche qui barrait la route, elle se pencha sur
lui si près qu'il sentit sur son cou le chatouille-
ment des cheveux. Alors brutalement il l'enlaça,
et, appuyant sur la tempe ses grandes moustaches, il la baisa d'un baiser furieux.

Elle ne remua point d'abord, restant ainsi
sous cette caresse emportée; puis, d'une secousse,
elle tourna la tête, et, soit hasard, soit volonté, ses petites lèvres à elle rencontrèrent ses
lèvres à lui, sous leur cascade de poils blonds.

Alors, soit confusion, soit remords, elle cingla
le flanc de son cheval, qui partit au grand
galop. Ils allèrent ainsi longtemps, sans échanger
même un regard.

Le tumulte de la chasse se rapprochait; les
fourrés semblaient frémir, et tout à coup, brisant
les branches, couvert de sang, secouant les chiens
qui s'attachaient à lui, le sanglier passa.

Alors le baron, poussant un rire de triomphe,

cria : « Qui m'aime me suive! » Et il disparut, dans les taillis, comme si la forêt l'eût
englouti.

Quand elle arriva, quelques minutes plus
tard, dans une clairière, il se relevait souillé de
boue, la jaquette déchirée, les mains sanglantes,
tandis que la bête étendue portait dans l'épaule
le couteau de chasse enfoncé jusqu'à la garde.

La curée se fit aux flambeaux par une nuit
douce et mélancolique. La lune jaunissait la
flamme rouge des torches qui embrumaient la
nuit de leur fumée résineuse. Les chiens mangeaient les entrailles puantes du sanglier, et
criaient, et se battaient. Et les piqueurs et les
gentilshommes chasseurs, en cercle autour de la
curée, sonnaient du cor à plein souffle. La fan-
fare s'en allait dans la nuit claire au-dessus des
bois, répétée par les échos perdus des vallées
lointaines, réveillant les cerfs inquiets, les re-
nards glapissants et troublant en leurs ébats
les petits lapins gris, au bord des clairières.

Les oiseaux de nuit voletaient, effarés, au-
dessus de la meute affolée d'ardeur. Et des
femmes, attendries par toutes ces choses douces
et violentes, s'appuyant un peu au bras des

hommes, s'écartaient déjà dans les allées, avant que les chiens eussent fini leur repas.

Tout alanguie par cette journée de fatigue et de tendresse, Mme d'Avancelles dit au baron :

« Voulez-vous faire un tour de parc, mon ami? »

Mais lui, sans répondre, tremblant, défaillant, l'entraîna.

Et, tout de suite, ils s'embrassèrent. Ils allaient au pas, au petit pas, sous les branches presque dépouillées et qui laissaient filtrer la lune; et leur amour, leurs désirs, leur besoin d'étreinte étaient devenus si véhéments qu'ils faillirent choir au pied d'un arbre.

Les cors ne sonnaient plus. Les chiens épuisés dormaient au chenil. « Rentrons », dit la jeune femme. Ils revinrent.

Puis, lorsqu'ils furent devant le château, elle murmura d'une voix mourante : « Je suis si fatiguée que je vais me coucher, mon ami. » Et, comme il ouvrait les bras pour la prendre en un dernier baiser, elle s'enfuit, lui jetant comme adieu : « Non... je vais dormir... Qui m'aime me suive! »

Une heure plus tard, alors que tout le château

silencieux semblait mort, le baron sortit à pas de loup de sa chambre et s'en vint gratter à la porte de son amie. Comme elle ne répondait pas, il essaya d'ouvrir. Le verrou n'était point poussé.

Elle rêvait, accoudée à la fenêtre.

Il se jeta à ses genoux qu'il baisait éperdument à travers la robe de nuit. Elle ne disait rien, enfonçant ses doigts fins, d'une manière caressante, dans les cheveux du baron.

Et soudain, se dégageant comme si elle eût pris une grande résolution, elle murmura de son air hardi, mais à voix basse : « Je vais revenir. Attendez-moi. » Et son doigt, tendu dans l'ombre, montrait au fond de la chambre la tache vague et blanche du lit.

Alors, à tâtons, éperdu, les mains tremblantes, il se dévêtit bien vite et s'enfonça dans les draps frais. Il s'étendit délicieusement, oubliant presque son amie, tant il avait plaisir à cette caresse du linge sur son corps las de mouvement.

Elle ne revenait point, pourtant, s'amusant sans doute à le faire languir. Il fermait les yeux dans un bien-être exquis; et il rêvait doucement dans l'attente délicieuse de la chose tant désirée.

Mais peu à peu ses membres s'engourdirent, sa pensée s'assoupit, devint incertaine, flottante. La puissante fatigue enfin le terrassa; il s'endormit.

Il dormit du lourd sommeil, de l'invincible sommeil des chasseurs exténués. Il dormit jusqu'à l'aurore.

Tout à coup, la fenêtre étant restée entrouverte, un coq, perché dans un arbre voisin, chanta. Alors brusquement, surpris par ce cri sonore, le baron ouvrit les yeux.

Sentant contre lui un corps de femme, se trouvant dans un lit qu'il ne reconnaissait pas, surpris et ne se souvenant plus de rien, il balbutia, dans l'effarement du réveil :

« Quoi? Où suis-je? Qu'y a-t-il? »

Alors elle, qui n'avait point dormi, regardant cet homme dépeigné, aux yeux rouges, à la lèvre épaisse, répondit, du ton hautain dont elle parlait à son mari :

« Ce n'est rien. C'est un coq qui chante. Rendormez-vous, monsieur, cela ne vous regarde pas. »

UN FILS

A René Maizeroy.

Ils se promenaient, les deux vieux amis, dans le jardin tout fleuri où le gai printemps remuait de la vie.

L'un était sénateur, et l'autre de l'Académie française, graves tous deux, pleins de raisonnements très logiques mais solennels, gens de marque et de réputation.

Ils parlotèrent d'abord de politique, échangeant des pensées, non pas sur les Idées, mais sur des hommes, les personnalités, en cette matière, primant toujours la Raison. Puis ils soulevèrent quelques souvenirs; puis ils se turent, continuant à marcher côte côte, tout amollis par la tiédeur de l'air.

Une grande corbeille de ravanelles exhalait des souffles sucrés et délicats; un tas de fleurs de toute race et de toute nuance jetaient leurs odeurs dans la brise, tandis qu'un faux-ébénier, vêtu de grappes jaunes, éparpillait au vent sa fine poussière, une fumée d'or qui sentait le miel et qui portait, pareille aux poudres caressantes des parfumeurs, sa semence embaumée à travers l'espace.

Le sénateur s'arrêta, huma le nuage fécondant qui flottait, considéra l'arbre amoureux resplendissant comme un soleil et dont les germes s'envolaient. Et il dit : « Quand on songe que ces imperceptibles atomes, qui sentent bon, vont créer des existences à des centaines de lieues d'ici, vont faire tressaillir les fibres et les sèves d'arbres femelles et produire des êtres à racines, naissant d'un germe, comme nous; mortels, comme nous, et qui seront remplacés par d'autres êtres de même essence, comme nous toujours! »

Puis, planté devant l'ébénier radieux dont les parfums vivifiants se détachaient à tous les frissons de l'air, M. le sénateur ajouta : « Ah! mon gaillard, s'il te fallait faire le compte de tes enfants, tu serais bigrement embarrassé. En voilà un qui les exécute facilement et qui les lâche sans remords, et qui ne s'en inquiète guère. »

L'académicien ajouta : « Nous en faisons autant, mon ami. »

Le sénateur reprit : « Oui, je ne le nie pas, nous les lâchons quelquefois, mais nous le savons, au moins, et cela constitue notre supériorité. »

Mais l'autre secoua la tête : « Non, ce n'est pas là ce que je veux dire; voyez-vous, mon cher, il n'est guère d'homme qui ne possède des enfants ignorés, ces enfants dits *de père inconnu*, qu'il a faits, comme cet arbre reproduit, presque inconsciemment.

S'il fallait établir le compte des femmes que nous avons eues, nous serions, n'est-ce pas, aussi embarrassés que cet ébénier que vous interpelliez le serait pour numéroter ses descendants.

De dix-huit à quarante ans enfin, en faisant entrer en ligne les rencontres passagères, les contacts d'une heure, on peut bien admettre que nous avons eu des... rapports intimes avec deux ou trois cents femmes.

Eh bien, mon ami, dans ce nombre êtes-vous sûr que vous n'en ayez pas fécondé au moins une, et que vous ne possédiez point sur le pavé, ou au bagne, un chenapan de fils qui vole et

assassine les honnêtes gens, c'est-à-dire nous; ou
bien une fille dans quelque mauvais lieu; ou
peut-être, si elle a eu la chance d'être abandonnée par sa mère, cuisinière en quelque
famille.

Songez en outre que presque toutes les femmes
que nous appelons *publiques* possèdent un ou
deux enfants dont elles ignorent le père, enfants
attrapés dans le hasard de leurs étreintes à dix
ou vingt francs. Dans tout métier on fait la
part des profits et pertes. Ces rejetons-là consti-
tuent les « pertes » de leur profession. Quels
sont les générateurs? — Vous — moi — nous
tous, les hommes dits *comme il faut!* Ce sont les
résultats de nos joyeux dîners d'amis, de nos
soirs de gaieté, de ces heures où notre chair
contente nous pousse aux accouplements d'aventure.

Les voleurs, les rôdeurs, tous les misérables,
enfin, sont nos enfants. Et cela vaut encore
mieux pour nous que si nous étions les leurs,
car ils reproduisent aussi, ces gredins-là!

Tenez, j'ai, pour ma part, sur la conscience
une très vilaine histoire que je veux vous dire.
C'est pour moi un remords incessant, plus que

cela, c'est un doute continuel, une inapaisable incertitude qui, parfois, me torture horriblement.

A l'âge de vingt-cinq ans j'avais entrepris avec un de mes amis, aujourd'hui conseiller d'Etat, un voyage en Bretagne, à pied.

Après quinze ou vingt jours de marche forcenée, après avoir visité les Côtes-du-Nord et une partie du Finistère, nous arrivions à Douarnenez; de là, en une étape, on gagna la sauvage pointe du Raz par la baie des Trépassés, et on coucha dans un village quelconque dont le nom finissait en *of*; mais, le matin venu, une fatigue étrange retint au lit mon camarade. Je dis au lit par habitude, car notre couche se composait simplement de deux bottes de paille.

Impossible d'être malade en ce lieu. Je le forçai donc à se lever, et nous parvînmes à Audierne vers quatre ou cinq heures du soir.

Le lendemain, il allait un peu mieux; on repartit, mais, en route, il fut pris de malaises intolérables, et c'est à grand-peine que nous pûmes atteindre Pont-Labbé.

Là, au moins, nous avions une auberge. Mon ami se coucha, et le médecin, qu'on fit venir de Quimper, constata une forte fièvre, sans en déterminer la nature.

Connaissez-vous Pont-Labbé? — Non. — Eh bien, c'est la ville la plus bretonne de toute la Bretagne bretonnante qui va de la pointe du Raz au Morbihan, de cette contrée qui contient l'essence des mœurs, des légendes, des coutumes bretonnes. Encore aujourd'hui, ce coin de pays n'a presque pas changé. Je dis : *encore aujour-d'hui,* car j'y retourne à présent tous les ans, hélas!

Un vieux château baigne le pied de ses tours dans un grand étang triste, triste, avec des vols d'oiseaux sauvages. Une rivière sort de là que les caboteurs peuvent remonter jusqu'à la ville. Et, dans les rues étroites aux maisons antiques, les hommes portent le grand chapeau, le gilet brodé et les quatre vestes superposées : la première, grande comme la main, couvrant au plus les omoplates, et la dernière s'arrêtant juste au-dessus du fond de culotte.

Les filles, grandes, belles, fraîches, ont la poitrine écrasée dans un gilet de drap qui forme cuirasse, les étreint, ne laissant même pas deviner leur gorge puissante et martyrisée; et elles sont coiffées d'une étrange façon : sur les tempes, deux plaques brodées en couleur encadrent le visage, serrent les cheveux qui tombent en nappe derrière la tête, puis remontent se tasser au sommet du crâne sous un singulier bonnet, tissu souvent d'or ou d'argent.

La servante de notre auberge avait dix-huit ans au plus, des yeux tout bleus, d'un bleu pâle que perçaient les deux petits points noirs de la pupille; et ses dents courtes, serrées, qu'elle montrait sans cesse en riant, semblaient faites pour broyer du granit.

Elle ne savait pas un mot de français, ne parlant que le breton, comme la plupart de ses compatriotes.

Or, mon ami n'allait guère mieux, et, bien qu'aucune maladie ne se déclarât, le médecin lui défendait de partir encore, ordonnant un repos complet. Je passais donc les journées près de lui, et sans cesse la petite bonne entrait, apportant, soit mon dîner, soit de la tisane.

Je la lutinais un peu, ce qui semblait l'amuser, mais nous ne causions pas, naturellement, puisque nous ne nous comprenions point.

Or, une nuit, comme j'étais resté fort tard
auprès du malade, je croisai, en regagnant ma
chambre, la fillette qui rentrait dans la sienne.
C'était juste en face de ma porte ouverte; alors,
brusquement, sans réfléchir à ce que je faisais,
plutôt par plaisanterie qu'autrement, je la saisis
à pleine taille, et, avant qu'elle fût revenue de
sa stupeur, je l'avais jetée et enfermée chez moi.
Elle me regardait, effarée, affolée, épouvantée,
n'osant pas crier de peur d'un scandale, d'être
chassée sans doute par ses maîtres d'abord, et
peut-être par son père ensuite.

J'avais fait cela en riant; mais, dès qu'elle
fut chez moi, le désir de la posséder m'envahit.
Ce fut une lutte longue et silencieuse, une lutte
corps à corps, à la façon des athlètes, avec les
bras tendus, crispés, tordus, la respiration
essoufflée, la peau mouillée de sueur. Oh! elle
se débattit vaillamment; et parfois nous heur-
tions un meuble, une cloison, une chaise; alors,
toujours enlacés, nous restions immobiles plusieurs secondes dans la crainte que le bruit
n'eût éveillé quelqu'un; puis nous recommen-
cions notre acharnée bataille, moi l'attaquant,
elle résistant.

Epuisée enfin, elle tomba; et je la pris brutalement, par terre, sur le pavé.

Sitôt relevée, elle courut à la porte, tira les
verrous et s'enfuit.

Je la rencontrai à peine les jours suivants. Elle
ne me laissait point l'approcher. Puis, comme
mon camarade était guéri et que nous devions
reprendre notre voyage, je la vis entrer, la
veille de mon départ, à minuit, nu-pieds, en
chemise dans ma chambre où je venais de me
retirer.

Elle se jeta dans mes bras, m'étreignit passionnément, puis, jusqu'au jour, m'embrassa, me
caressa, pleurant, sanglotant, me donnant enfin
toutes les assurances de tendresse et de désespoir
qu'une femme nous peut donner quand elle ne
sait pas un mot de notre langue.

Huit jours après, j'avais oublié cette aventure
commune ct fréquente quand on voyage, les ser-
vantes d'auberge étant généralement destinées à
distraire ainsi les voyageurs.

Et je fus trente ans sans y songer et sans revenir à Pont-Labbé.

Or, en 1876, j'y retournai par hasard au cours
d'une excursion en Bretagne, entreprise pour

documenter un livre et pour me bien pénétrer des paysages.

Rien ne me sembla changé. Le château mouillait toujours ses murs grisâtres dans l'étang, à l'entrée de la petite ville; et l'auberge était la même quoique réparée, remise à neuf, avec un air plus moderne. En entrant, je fus reçu par deux jeunes Bretonnes de dix-huit ans, fraîches et gentilles, encuirassées dans leur étroit gilet de drap, casquées d'argent avec les grandes plaques brodées sur les oreilles.

Il était environ six heures du soir. Je me mis à table pour dîner et, comme le patron s'empressait lui-même à me servir, la fatalité sans doute me fit dire : « Avez-vous connu les anciens maîtres de cette maison? J'ai passé ici une dizaine de jours il y a trente ans maintenant. Je vous parle de loin. »

Il répondit : « C'étaient mes parents, monsieur. »

Alors je lui racontai en quelle occasion je m'étais arrêté, comment j'avais été retenu par l'indisposition d'un camarade. Il ne me laissa pas achever.

« Oh! je me rappelle parfaitement. J'avais

alors quinze ou seize ans. Vous couchiez dans
la chambre du fond et votre ami dans celle
dont j'ai fait la mienne, sur la rue. »

C'est alors seulement que le souvenir très
vif de la petite bonne me revint. Je demandai :
« Vous rappelez-vous une gentille petite servante qu'avait alors votre père, et qui possédait,
si ma mémoire ne me trompe, de jolis yeux et
des dents fraîches? »

Il reprit : « Oui, monsieur; elle est morte en
couches quelque temps après. »

Et, tendant la main vers la cour où un homme
maigre et boiteux remuait du fumier, il ajouta :
« Voilà son fils. »

Je me mis à rire. « Il n'est pas beau et ne
ressemble guère à sa mère. Il tient du père sans
doute. »

L'aubergiste reprit : « Ça se peut bien; mais
on n'a jamais su à qui c'était. Elle est morte sans
le dire et personne ici ne lui connaissait de
galant. Ç'a été un fameux étonnement quand on
a appris qu'elle était enceinte. Personne ne
voulait le croire. »

J'eus une sorte de frisson désagréable, un de
ces effleurements pénibles qui nous touchent le

cœur, comme l'approche d'un lourd chagrin. Et je regardai l'homme dans la cour. Il venait maintenant de puiser l'eau pour les chevaux et portait ses deux seaux en boitant, avec un effort douloureux de la jambe plus courte. Il était déguenillé, hideusement sale, avec de longs cheveux jaunes tellement mêlés qu'ils lui tombaient comme des cordes sur les joues.

L'aubergiste ajouta : « Il ne vaut pas grand-chose, ç'a été gardé par charité dans la maison. Peut-être qu'il aurait mieux tourné si on l'avait élevé comme tout le monde. Mais que voulez-vous, monsieur? Pas de père, pas de mère, pas d'argent! Mes parents ont eu pitié de l'enfant, mais ce n'était pas à eux, vous comprenez. »

Je ne dis rien.

Et je couchai dans mon ancienne chambre; et toute la nuit je pensai à cet affreux valet d'écurie en me répétant : « Si c'était mon fils, pourtant? Aurais-je donc pu tuer cette fille et procréer cet être? » C'était possible, enfin!

Je résolus de parler à cet homme et de connaître exactement la date de sa naissance. Une différence de deux mois devait m'arracher mes doutes.

Je le fis venir le lendemain. Mais il ne parlait
pas le français non plus. Il avait l'air de ne rien
comprendre, d'ailleurs, ignorant absolument son
âge qu'une des bonnes lui demanda de ma part.
Et il se tenait d'un air idiot devant moi roulant
son chapeau dans ses pattes noueuses et dégoû-
tantes, riant stupidement, avec quelque chose du
rire ancien de la mère dans le coin des lèvres
et dans le coin des yeux.

Mais le patron, survenant, alla chercher l'acte
de naissance du misérable. Il était entré dans
la vie huit mois et vingt-six jours après mon
passage à Pont-Labbé, car je me rappelais parfaitement être arrivé à Lorient le 15 août.
L'acte portait la mention : « Père inconnu. » La
mère s'était appelée Jeanne Kerradec.

Alors mon cœur se mit à battre à coups
pressés. Je ne pouvais plus parler tant je me
sentais suffoqué; et je regardais cette brute, dont
les grands cheveux jaunes semblaient un fumier
plus sordide que celui des bêtes; et le gueux,
gêné par mon regard, cessait de rire, détournait
la tête, cherchait à s'en aller.

Tout le jour j'errai le long de la petite rivière, en réfléchissant douloureusement. Mais à

quoi bon réfléchir? Rien ne pouvait me fixer. Pendant des heures et des heures je pesais toutes les raisons bonnes ou mauvaises pour ou contre mes chances de paternité, m'énervant en des suppositions inextricables, pour revenir sans cesse à la même horrible incertitude, puis à la conviction plus atroce encore que cet homme était mon fils.

Je ne pus dîner et je me retirai dans ma chambre. Je fus longtemps sans parvenir à dormir; puis le sommeil vint, un sommeil hanté de visions insupportables. Je voyais ce goujat qui me riait au nez, m'appelait « papa »; puis il se changeait en chien et me mordait les mollets, et, j'avais beau me sauver, il me suivait toujours, et, au lieu d'aboyer, il parlait, m'injuriait; puis il comparaissait devant mes collègues de l'Académie réunis pour décider si j'étais bien son père, et l'un d'eux s'écriait : « C'est indubitable! Regardez donc comme il lui ressemble. » Et en effet je m'apercevais que ce monstre me ressemblait. Et je me réveillai avec cette idée plantée dans le crâne et avec le désir fou de revoir l'homme pour décider si, oui ou non, nous avions des traits communs.

Je le joignis comme il allait à la messe (c'était un dimanche) et je lui donnai cent sous en le dévisageant anxieusement. Il se remit à rire d'une ignoble façon, prit l'argent, puis, gêné de nouveau par mon œil, il s'enfuit après avoir bredouillé un mot à peu près inarticulé, qui voulait dire « merci », sans doute.

La journée se passa pour moi dans les mêmes angoisses que la veille. Vers le soir, je fis venir l'hôtelier, et avec beaucoup de précautions, d'habiletés, de finesses, je lui dis que je m'intéressais à ce pauvre être si abandonné de tous et privé de tout, et que je voulais faire quelque chose pour lui.

Mais l'homme répliqua : « Oh! n'y songez pas, monsieur, il ne vaut rien, vous n'en aurez que du désagrément. Moi, je l'emploie à vider l'écurie, et c'est tout ce qu'il peut faire. Pour ça je le nourris et il couche avec les chevaux. Il ne lui en faut pas plus. Si vous avez une vieille culotte, donnez-la-lui, mais elle sera en pièces dans huit jours. »

Je n'insistai pas, me réservant d'aviser.

Le gueux rentra le soir horriblement ivre, faillit mettre le feu à la maison, assomma un cheval à coups de pioche, et, en fin de compte, s'endormit dans la boue sous la pluie, grâce à mes largesses.

On me pria le lendemain de ne plus lui donner d'argent. L'eau-de-vie le rendait furieux, et, dès qu'il avait deux sous en poche, il les buvait. L'aubergiste ajouta : « Lui donner de l'argent, c'est vouloir sa mort. » Cet homme n'en avait jamais eu, absolument jamais, sauf quelques centimes jetés par les voyageurs, et il ne connaissait pas d'autre destination à ce métal que le cabaret.

Alors je passai des heures dans ma chambre, avec un livre ouvert que je semblais lire, mais ne faisant autre chose que de regarder cette brute, mon fils! mon fils! en tâchant de découvrir s'il avait quelque chose de moi. A force de chercher, je crus reconnaître des lignes semblables dans le front et à la naissance du nez, et je fus bientôt convaincu d'une ressemblance que dissimulaient l'habillement différent et la crinière hideuse de l'homme.

Mais je ne pouvais demeurer plus longtemps sans devenir suspect, et je partis, le cœur broyé, après avoir laissé à l'aubergiste quelque argent pour adoucir l'existence de son valet.

Or, depuis six ans, je vis avec cette pensée, cette horrible incertitude, ce doute abominable. Et, chaque année, une force invincible me ramène à Pont-Labbé. Chaque année je me condamne à ce supplice de voir cette brute patauger dans son fumier, de m'imaginer qu'il me ressemble, de chercher, toujours en vain, à lui être secourable. Et chaque année je reviens ici, plus indécis, plus torturé, plus anxieux.

J'ai essayé de le faire instruire. Il est idiot sans ressource.

J'ai essayé de lui rendre la vie moins pénible. Il est irrémédiablement ivrogne et emploie à boire tout l'argent qu'on lui donne, et il sait fort bien vendre ses habits neufs pour se procurer de l'eau-de-vie.

J'ai essayé d'apitoyer sur lui son patron pour qu'il le ménageât, en offrant toujours de l'argent. L'aubergiste, étonné à la fin, m'a répondu fort sagement : « Tout ce que vous ferez pour lui, monsieur, ne servira qu'à le perdre. Il faut le tenir comme un prisonnier. Sitôt qu'il a du temps ou du bien-être, il devient malfaisant. Si vous voulez faire du bien, ça ne manque pas.

allez, les enfants abandonnés, mais choisissez-en
un qui réponde à votre peine. »

Que dire à cela?

Et si je laissais percer un soupçon des doutes
qui me torturent, ce crétin, certes, deviendrait
malin pour m'exploiter, me compromettre, me
perdre, il me crierait « papa », comme dans
mon rêve.

Et je me dis que j'ai tué la mère et perdu cet
être atrophié, larve d'écurie, éclose et poussée
dans le fumier, cet homme qui, élevé comme
d'autres, aurait été pareil aux autres.

Et vous ne vous figurez pas la sensation
étrange, confuse et intolérable que j'éprouve en
face de lui en songeant que cela est sorti de
moi, qu'il tient à moi par ce lien intime qui lie
le fils au père, que, grâce aux terribles lois de
l'hérédité, il est moi par mille choses, par son
sang et par sa chair, et qu'il a jusqu'aux mêmes
germes de maladies, aux mêmes ferments de
passions.

Et j'ai sans cesse un inapaisable et douloureux
besoin de le voir; et sa vue me fait horriblement
souffrir; et de ma fenêtre, là-bas, je le regarde
pendant des heures remuer et charrier les

ordures des bêtes, en me répétant : « C'est mon fils. »

Et je sens, parfois, d'intolérables envies de l'embrasser. Je n'ai même jamais touché sa main sordide.

L'académicien se tut. Et son compagnon, l'homme politique, murmura : « Oui, vraiment, nous devrions bien nous occuper un peu plus des enfants qui n'ont pas de père. »

Et un souffle de vent traversant le grand arbre jaune secoua ses grappes, enveloppa d'une nuée odorante et fine les deux vieillards qui la respirèrent à longs traits.

Et le sénateur ajouta : « C'est bon vraiment d'avoir vingt-cinq ans, et même de faire des enfants comme ça. »

SAINT-ANTOINE

A X. Charmes.

On l'appelait Saint-Antoine, parce qu'il se nommait Antoine, et aussi peut-être parce qu'il était
bon vivant, joyeux, farceur, puissant mangeur
et fort buveur, et vigoureux trousseur de ser-
vantes, bien qu'il eût plus de soixante ans.

C'était un grand paysan du pays de Caux,
haut en couleur, gros de poitrine et de ventre,
et perché sur de longues jambes qui semblaient
trop maigres pour l'ampleur du corps.

Veuf, il vivait seul avec sa bonne et ses deux
valets dans sa ferme qu'il dirigeait en madré
compère, soigneux de ses intérêts, entendu dans
les affaires et dans l'élevage du bétail, et dans
la culture de ses terres. Ses deux fils et ses trois
filles mariés avec avantage, vivaient aux environs, et venaient, une fois par mois, dîner avec
le père. Sa vigueur était célèbre dans tout le

pays d'alentour; on disait, en manière de pro-
verbe : « Il est fort comme Saint-Antoine. »

Lorsque arriva l'invasion prussienne, Saint-
Antoine, au cabaret, promettait de manger une
armée, car il était hâbleur comme un vrai Normand, un peu couard et fanfaron. Il tapait du
poing sur la table de bois, qui sautait en faisant
danser les tasses et les petits verres, et il criait,
la face rouge et l'œil sournois, dans une fausse
colère de bon vivant : « Faudra que j'en mange,
nom de Dieu! » Il comptait bien que les Prussiens ne viendraient pas jusqu'à Tanneville;
mais lorsqu'il apprit qu'ils étaient à Rautôt, il
ne sortit plus de sa maison, et il guettait sans
cesse la route par la petite fenêtre de sa cuisine, s'attendant à tout moment à voir passer
des baïonnettes.

Un matin, comme il mangeait la soupe avec
ses serviteurs, la porte s'ouvrit, et le maire de
la commune, maître Chicot, parut suivi d'un
soldat coiffé d'un casque noir à pointe de cuivre.
Saint-Antoine se dressa d'un bond; et tout son
monde le regardait, s'attendant à le voir écharper
le Prussien; mais il se contenta de serrer la main
du maire qui lui dit : « En v'là un pour toi,

Saint-Antoine. Ils ·sont venus c'te nuit. Fais pas
de bêtises surtout, vu qu'ils parlent de fusiller
et de brûler tout si seulement il arrive la
moindre chose. Te v'là prévenu. Donne-li à
manger; il a l'air d'un bon gars. Bonsoir, je vas
chez l's'autres. Y en a pour tout le monde. » Et
il sortit.

Le père Antoine, devenu pâle, regarda son
Prussien. C'était un gros garçon à la chair
grasse et blanche, aux yeux bleus, au poil blond,
barbu jusqu'aux pommettes, qui semblait idiot,
timide et bon enfant. Le Normand malin le
pénétra tout de suite, et, rassuré, lui fit signe
de s'asseoir. Puis il demanda : « Voulez-vous de
la soupe? »

L'étranger ne comprit pas. Antoine alors eut
un coup d'audace, et, lui poussant sous le nez
une assiette pleine : « Tiens, avale ça, gros cochon. »

Le soldat répondit « Ya » et se mit à manger
goulûment pendant que le fermier, triomphant,
sentant sa réputation reconquise, clignait de
l'œil, à ses serviteurs qui grimaçaient étrange-
ment, ayant en même temps grand-peur et envie
de rire.

Quand le Prussien eut englouti son assiettée, Saint-Antoine lui en servit une autre qu'il fit disparaître également; mais il recula devant la troisième, que le fermier voulait lui faire manger de force, en répétant : « Allons fous-toi ça dans le ventre. T'engraisseras ou tu diras pourquoi, va, mon cochon! »

Et le soldat, comprenant seulement qu'on voulait le faire manger tout son soûl, riait d'un air content, en faisant signe qu'il était plein.

Alors Saint-Antoine, devenu tout à fait familier, lui tapa sur le ventre en criant : « Y en a-t-il dans la bedaine à mon cochon! » Mais soudain il se tordit, rouge à tomber d'une attaque, ne pouvant plus parler. Une idée lui était venue qui le faisait étouffer de rire : « C'est ça, c'est ça, saint Antoine et son cochon. V'là mon cochon! » Et les trois serviteurs éclatèrent à leur tour.

Le vieux était si content qu'il fit apporter l'eau-de-vie, la bonne, le fil en dix, et qu'il en régala tout le monde. On trinqua avec le Prussien, qui claqua de la langue par flatterie, pour indiquer qu'il trouvait ça fameux. Et Saint-Antoine lui criait dans le nez : « Hein? En v'là d'la fine! T'en bois pas comme ça chez toi, mon cochon? »

Dès lors, le père Antoine ne sortit plus sans son Prussien. Il avait trouvé là son affaire : c'était sa vengeance à lui, sa vengeance de gros malin. Et tout le pays, qui crevait de peur, riait à se tordre, derrière le dos des vainqueurs, de la farce de Saint-Antoine. Vraiment, dans la plaisanterie il n'avait pas son pareil. Il n'y avait que lui pour inventer des choses comme ça. Cré coquin, va!

Il s'en allait chez les voisins, tous les jours après midi, bras dessus bras dessous avec son Allemand qu'il présentait d'un air gai en lui tapant sur l'épaule : « Tenez, v'là mon cochon, r'gardez-moi s'il engraisse c't'animal-là! »

Et les paysans s'épanouissaient. « Est-il donc rigolo, ce bougre d'Antoine!

— J'te l'vends, Césaire, trois pistoles.

— Je l'prends, Antoine, et j't'invite à manger du boudin.

— Mé, c'que j'veux, c'est d'ses pieds.

— Tâte-li l'ventre, tu verras qu'il n'a que d'la graisse. »

Et tout le monde clignait de l'œil, sans rire

trop haut cependant, de peur que le Prussien devinât à la fin qu'on se moquait de lui. Antoine seul, s'enhardissant tous les jours, lui pinçait les cuisses en criant : « Rien qu'du gras »; lui tapait sur le derrière en hurlant : « Tout ça d'là couenne »; l'enlevait dans ses bras de vieux colosse capable de porter une enclume, en déclarant : « Il pèse six cents et pas de déchet. »

Et il avait pris l'habitude de faire offrir à manger à son cochon partout où il entrait avec lui. C'était là le grand plaisir, le grand divertissement de tous les jours : « Donnez-li de c'que vous voudrez, il avale tout. » Et on offrait à l'homme du pain et du beurre, des pommes de terre, du fricot froid, de l'andouille qui faisait dire : « De la vôtre, et du choix. »

Le soldat, stupide et doux, mangeait par politesse, enchanté de ces attentions; se rendait malade pour ne pas refuser; et il engraissait vraiment, serré maintenant dans son uniforme, ce qui ravissait Saint-Antoine et lui faisait répéter : « Tu sais, mon cochon, faudra te faire faire une autre cage. »

Ils étaient devenus, d'ailleurs, les meilleurs amis du monde; et, quand le vieux allait à ses affaires dans les environs, le Prussien l'accompagnait de lui-même pour le seul plaisir d'être avec lui.

Le temps était rigoureux; il gelait dur; le terrible hiver de 1870 semblait jeter ensemble tous les fléaux sur la France.

Le père Antoine, qui préparait les choses de loin et profitait des occasions, prévoyant qu'il manquerait de fumier pour les travaux du printemps, acheta celui d'un voisin qui se trouvait dans la gêne; et il fut convenu qu'il irait chaque soir avec son tombereau chercher une charge d'engrais.

Chaque jour donc il se mettait en route à l'approche de la nuit et se rendait à la ferme des Haules, distante d'une demi-lieue, toujours accompagné de son cochon. Et chaque jour, c'était une fête de nourrir l'animal. Tout le pays accourait là comme on va, le dimanche, à la grand-messe.

Le soldat, cependant, commençait à se méfier; et, quand on riait trop fort, il roulait des yeux inquiets qui, parfois, s'allumaient d'une flamme de colère.

Or, un soir, quand il eut mangé à sa conte-

nance, il refusa d'avaler un morceau de plus;
et il essaya de se lever pour s'en aller. Mais
Saint-Antoine l'arrêta d'un tour de poignet, et,
lui posant ses deux mains puissantes sur les
épaules, il le rassit si durement que la chaise
s'écrasa sous l'homme.

Une gaieté de tempête éclata; et Antoine
radieux, ramassant son cochon, fit semblant de
le panser pour le guérir; puis il déclara :
« Puisque tu n'veux pas manger, tu vas boire,
nom de Dieu! » Et on alla chercher de l'eau-
de-vie au cabaret.

Le soldat roulait des yeux méchants : mais il
but néanmoins; il but tant qu'on voulut; et
Saint-Antoine lui tenait la tête, à la grande joie
des assistants.

Le Normand, rouge comme une tomate, le
regard en feu, emplissait les verres, trinquait en
gueulant : « A la tienne! » Et le Prussien, sans
prononcer un mot, entonnait coup sur coup des
lampées de cognac.

C'était une lutte, une bataille, une revanche!
A qui boirait le plus, nom d'un nom! Ils n'en
pouvaient plus ni l'un ni l'autre quand le litre
fut séché. Mais aucun d'eux n'était vaincu. Ils

s'en allaient manche à manche, voilà tout. Faudrait recommencer le lendemain!

Ils sortirent en titubant et se mirent en route, à côté du tombereau de fumier que traînaient lentement les deux chevaux.

La neige commençait à tomber, et la nuit sans lune s'éclairait tristement de cette blancheur morte des plaines. Le froid saisit les deux hommes, augmentant leur ivresse, et Saint-Antoine, mécontent de n'avoir pas triomphé, s'amusait à pousser l'épaule de son cochon pour le faire culbuter dans le fossé. L'autre évitait les attaques par des retraites; et, chaque fois, il prononçait quelques mots allemands sur un ton irrité qui faisait rire aux éclats le paysan. A la fin, le Prussien se fâcha; et juste au moment où Antoine lui lançait une nouvelle bourrade, il répondit par un coup de poing terrible qui fit chanceler le colosse.

Alors, enflammé d'eau-de-vie, le vieux saisit l'homme à bras-le-corps, le secoua quelques secondes comme il eût fait d'un petit enfant, et il le lança à toute volée de l'autre côté du chemin. Puis, content de cette exécution, il croisa ses bras pour rire de nouveau.

Mais le soldat se releva vivement, nu-tête, son casque ayant roulé, et, dégainant son sabre, il se précipita sur le père Antoine.

Quand il vit cela, le paysan saisit son fouet par le milieu, son grand fouet de houx, droit, fort et souple comme un nerf de bœuf.

Le Prussien arriva, le front baissé, l'arme en avant, sûr de tuer. Mais le vieux, attrapant à pleine main la lame dont la pointe allait lui crever le ventre, l'écarta, et il frappa d'un coup sec sur la tempe, avec la poignée du fouet, son ennemi qui s'abattit à ses pieds.

Puis il regarda, effaré, stupide d'étonnement, le corps d'abord secoué de spasmes, puis immobile sur le ventre. Il se pencha, le retourna, le considéra quelque temps. L'homme avait les yeux clos; et un filet de sang coulait d'une fente au coin du front. Malgré la nuit, le père Antoine distinguait la tache brune de ce sang sur la neige.

Il restait là, perdant la tête, tandis que son tombereau s'en allait toujours, au pas tranquille des chevaux.

Qu'allait-il faire? Il serait fusillé! On brûlerait sa ferme, on ruinerait le pays! Que faire? que faire? Comment cacher le corps, cacher la mort, tromper les Prussiens? Il entendit des voix au loin, dans le grand silence des neiges. Alors, il s'affola, et, ramassant le casque, il recoiffa sa victime; puis, l'empoignant par les reins, il l'enleva, courut, rattrapa son attelage et lança le corps sur le fumier. Une fois chez lui, il aviserait.

Il allait à petits pas, se creusant la cervelle, ne trouvant rien. Il se voyait, se sentait perdu. Il rentra dans sa cour. Une lumière brillait à une lucarne, sa servante ne dormait pas encore; alors il fit vivement reculer sa voiture jusqu'au bord du trou à l'engrais. Il songeait qu'en renversant la charge, le corps posé dessus tomberait dessous la fosse; et il fit basculer le tombereau.

Comme il l'avait prévu, l'homme fut enseveli sous le fumier. Antoine aplanit le tas avec sa fourche, puis la planta dans la terre à côté. Il appela son valet, ordonna de mettre les chevaux à l'écurie; et il rentra dans sa chambre.

Il se coucha, réfléchissant toujours à ce qu'il allait faire, mais aucune idée ne l'illuminait; son épouvante allait croissant dans l'immobilité du lit. On le fusillerait! Il suait de peur; ses dents claquaient; il se releva grelottant, ne pouvant plus tenir dans ses draps.

Alors il descendit à la cuisine, prit la bouteille de fine dans le buffet, et remonta. Il but deux grands verres de suite jetant une ivresse nouvelle par-dessus l'ancienne, sans calmer l'angoisse de son âme. Il avait fait là un joli coup, nom de Dieu d'imbécile.

Il marchait maintenant de long en large, cherchant des ruses, des explications et des malices; et, de temps en temps, il se rinçait la bouche avec une gorgée de fil en dix pour se mettre du cœur au ventre.

Et il ne trouvait rien. Mais rien.

Vers minuit, son chien de garde, une sorte de demi-loup qu'il appelait « Dévorant », se mit à hurler à la mort. Le père Antoine frémit jusque dans les moelles; et, chaque fois que la bête reprenait son gémissement lugubre et long, un frisson de peur courait sur la peau du vieux.

Il s'était abattu sur une chaise, les jambes cassées, hébété, n'en pouvant plus, attendant avec anxiété que « Dévorant » recommençât sa plainte, et secoué par tous les sursauts dont la terreur fait vibrer nos nerfs.

L'horloge d'en bas sonna cinq heures. Le chien ne se taisait pas. Le paysan devenait fou. Il se leva pour aller déchaîner la bête, pour ne plus l'entendre. Il descendit, ouvrit la porte, s'avança dans la nuit.

La neige tombait toujours. Tout était blanc. Les bâtiments de la ferme faisaient de grandes taches noires. L'homme s'approcha de la niche. Le chien tirait sur sa chaîne. Il le lâcha. Alors « Dévorant » fit un bond, puis s'arrêta net, le poil hérissé, les pattes tendues, les crocs au vent, le nez tourné vers le fumier.

Saint-Antoine, tremblant de la tête aux pieds, balbutia : « Qué qu't'as donc, sale rosse? » et il avança de quelques pas, fouillant de l'œil l'ombre indécise, l'ombre terne de la cour.

Alors il vit une forme, une forme d'homme assis sur son fumier!

Il regardait cela, perclus d'horreur et haletant. Mais, soudain, il aperçut auprès de lui le manche de sa fourche piquée dans la terre; il l'arracha du sol; et, dans un de ces transports de peur qui rendent téméraires les plus lâches, il se rua en avant, pour voir.

C'était lui, son Prussien, sorti fangeux de sa

couche d'ordure qui l'avait réchauffé, ranimé. Il
s'était assis machinalement, et il était resté là,
sous la neige qui le poudrait, souillé de saletés
et de sang, encore hébété par l'ivresse, étourdi
par le coup, épuisé par sa blessure.

Il aperçut Antoine, et, trop abruti pour rien
comprendre, il fit un mouvement afin de se
lever. Mais le vieux, dès qu'il l'eut reconnu,
écuma ainsi qu'une bête enragée.

Il bredouillait : « Ah! cochon! cochon! t'es
pas mort! Tu vas me dénoncer, à c't'heure...
Attends... attends! »

Et, s'élançant sur l'Allemand, il jeta en avant
de toute la vigueur de ses deux bras sa fourche
levée comme une lance, et il lui enfonça jusqu'au manche les quatre pointes de fer dans la
poitrine.

Le soldat se renversa sur le dos en poussant un
long soupir de mort, tandis que le vieux paysan,
retirant son arme des plaies, la replongeait coup
sur coup dans le ventre, dans l'estomac, dans la
gorge, frappant comme un forcené, trouant de
la tête aux pieds le corps palpitant dont le sang
fuyait par gros bouillons.

Puis il s'arrêta, essoufflé de la violence de sa

besogne, aspirant l'air à grandes gorgées, apaisé par le meurtre accompli.

Alors, comme les coqs chantaient dans les poulaillers et comme le jour allait poindre, il se mit à l'œuvre pour ensevelir l'homme.

Il creusa un trou dans le fumier, trouva la terre, fouilla plus bas encore travaillant d'une façon désordonnée, dans un emportement de force avec des mouvements furieux des bras et de tout le corps.

Lorsque la tranchée fut assez creuse, il roula le cadavre dedans, avec la fourche, rejeta la terre dessus, la piétina longtemps, remit en place le fumier, et il sourit en voyant la neige épaisse qui complétait sa besogne, et couvrait les traces de son voile blanc.

Puis il repiqua sa fourche sur le tas d'ordure et rentra chez lui. Sa bouteille encore à moitié pleine d'eau-de-vie était restée sur la table. Il la vida d'une haleine, se jeta sur son lit, et s'endormit profondément.

Il se réveilla dégrisé, l'esprit calme et dispos, capable de juger le cas et de prévoir l'événement.

Au bout d'une heure, il courait le pays en de-

mandant partout des nouvelles de son soldat. Il
alla trouver les officiers, pour savoir, disait-il,
pourquoi on lui avait repris son homme.

Comme on connaissait leur liaison, on ne le
soupçonna pas; et il dirigea même les recherches
en affirmant que le Prussien allait chaque soir
courir le cotillon.

Un vieux gendarme en retraite, qui tenait
une auberge dans le village voisin et qui avait
une jolie fille, fut arrêté et fusillé.

L'AVENTURE
DE WALTER SCHNAFFS

A Robert Pinchon.

Depuis son entrée en France avec l'armée d'invasion, Walter Schnaffs se jugeait le plus malheureux des hommes. Il était gros, marchait avec peine, soufflait beaucoup et souffrait affreusement des pieds qu'il avait fort plats et fort gras. Il était en outre pacifique et bienveillant, nullement magnanime ou sanguinaire, père de quatre enfants qu'il adorait et marié avec une femme blonde, dont il regrettait désespérément chaque soir les tendresses, les petits soins et les baisers. Il aimait se lever tard et se coucher tôt, manger lentement de bonnes choses et boire de la bière dans les brasseries. Il songeait en outre que tout ce qui est doux dans l'existence disparaît avec la vie : et il gardait au cœur une haine épouvantable, instinctive et raisonnée en même temps, pour les canons,

les fusils, les revolvers et les sabres, mais surtout
pour les baïonnettes, se sentant incapable de
manœuvrer assez vivement cette arme rapide
pour défendre son gros ventre.

Et, quand il se couchait sur la terre, la nuit
venue, roulé dans son manteau à côté des camarades qui ronflaient, il pensait longuement aux
siens laissés là-bas et aux dangers semés sur sa
route : « S'il était tué, que deviendraient les
petits? Qui donc les nourrirait et les élèverait? »
A l'heure même, ils n'étaient pas riches, malgré
les dettes qu'il avait contractées en partant pour
leur laisser quelque argent. Et Walter Schnaffs
pleurait quelquefois.

Au commencement des batailles il se sentait
dans les jambes de telles faiblesses qu'il se serait
laissé tomber, s'il n'avait songé que toute l'armée
lui passerait sur le corps. Le sifflement des balles
hérissait le poil sur sa peau.

Depuis des mois il vivait ainsi dans la terreur
et dans l'angoisse.

Son corps d'armée s'avançait vers la Normandie, et il fut un jour envoyé en reconnaissance
avec un faible détachement qui devait simplement explorer une partie du pays et se replier

ensuite. Tout semblait calme dans la campagne; rien n'indiquait une résistance préparée.

Or, les Prussiens descendaient avec tranquillité dans une petite vallée que coupaient des ravins profonds, quand une fusillade violente les arrêta net, jetant bas une vingtaine des leurs; et une troupe de francs-tireurs, sortant brusquement d'un petit bois grand comme la main, s'élança en avant, la baïonnette au fusil.

Walter Schnaffs demeura d'abord immobile, tellement surpris et éperdu qu'il ne pensait même pas à fuir. Puis un désir fou de détaler le saisit; mais il songea aussitôt qu'il courait comme une tortue en comparaison des maigres Français qui arrivaient en bondissant comme un troupeau de chèvres. Alors, apercevant à six pas devant lui un large fossé plein de broussailles couvertes de feuilles sèches, il y sauta à pieds joints, sans songer même à la profondeur, comme on saute d'un pont dans une rivière.

Il passa, à la façon d'une flèche, à travers une couche épaisse de lianes et de ronces aiguës qui lui déchirèrent la face et les mains, et il tomba lourdement assis sur un lit de pierres.

Levant aussitôt les yeux, il vit le ciel par le

trou qu'il avait fait. Ce trou révélateur le pouvait dénoncer, et il se traîna avec précaution, à
quatre pattes, au fond de cette ornière, sous le
toit de branchages enlacés, allant le plus vite
possible, en s'éloignant du lieu du combat. Puis
il s'arrêta et s'assit de nouveau, tapi comme
un lièvre au milieu des hautes herbes sèches.

Il entendit pendant quelque temps encore des
détonations, des cris et des plaintes. Puis les
clameurs de la lutte s'affaiblirent, cessèrent.
Tout redevint muet et calme.

Soudain quelque chose remua contre lui. Il
eut un sursaut épouvantable. C'était un petit
oiseau qui, s'étant posé sur une branche, agitait
des feuilles mortes. Pendant près d'une heure,
le cœur de Walter Schnaffs en battit à grands
coups pressés.

La nuit venait, emplissant d'ombre le ravin.
Et le soldat se mit à songer. Qu'allait-il faire?
Qu'allait-il devenir? Rejoindre son armée...
Mais comment? Mais par où? Et il lui faudrait
recommencer l'horrible vie d'angoisses, d'épou-
vantes, de fatigues et de souffrances qu'il me-
nait depuis le commencement de la guerre!
Non! Il ne se sentait plus ce courage. Il n'au-

rait plus l'énergie qu'il fallait pour supporter les marches et affronter les dangers de toute les minutes.

Mais que faire? Il ne pouvait rester dans ce ravin et s'y cacher jusqu'à la fin des hostilités. Non, certes. S'il n'avait pas fallu manger, cette perspective ne l'aurait pas trop atterré; mais il fallait manger, manger tous les jours.

Et il se trouvait ainsi tout seul, en armes, en uniforme, sur le territoire ennemi, loin de ceux qui le pouvaient défendre. Des frissons lui couraient sur la peau.

Soudain il pensa : « Si seulement j'étais prisonnier! » Et son cœur frémit de désir, d'un désir violent, immodéré, d'être prisonnier des Français. Prisonnier! Il serait sauvé, nourri, logé, à l'abri des balles et des sabres, sans appréhension possible, dans une bonne prison bien gardée. Prisonnier! Quel rêve!

Et sa résolution fut prise immédiatement : « Je vais me constituer prisonnier. »

Il se leva, résolu à exécuter ce projet sans tarder d'une minute. Mais il demeura immobile, assailli soudain par des réflexions fâcheuses et par des terreurs nouvelles.

Où allait-il se constituer prisonnier? Comment? De quel côté? Et des images affreuses, des images de mort, se précipitèrent dans son âme.

Il allait courir des dangers terribles en s'aventurant seul avec son casque à pointe, par la campagne.

S'il rencontrait des paysans? Ces paysans, voyant un Prussien perdu, un Prussien sans défense, le tueraient comme un chien errant! Ils le massacreraient avec leurs fourches, leurs pioches, leurs faux, leurs pelles! Ils en feraient une bouillie, une pâtée, avec l'acharnement des vaincus exaspérés.

S'il rencontrait des francs-tireurs? Ces francs-tireurs, des enragés sans loi ni discipline, le fusilleraient pour s'amuser, pour passer une heure, histoire de rire en voyant sa tête. Et il se croyait déjà appuyé contre un mur en face de douze canons de fusils, dont les petits trous ronds et noirs semblaient le regarder.

S'il rencontrait l'armée française elle-même? Les hommes d'avant-garde le prendraient pour un éclaireur, pour quelque hardi et malin troupier parti seul en reconnaissance, et ils lui tire-

raient dessus. Et il entendait déjà les détonations irrégulières des soldats couchés dans les
broussailles, tandis que lui, debout au milieu
d'un champ, s'affaissait, troué comme une écu-
moire par les balles qu'il sentait entrer dans sa
chair.

Il se rassit, désespéré. Sa situation lui paraissait sans issue.

La nuit était tout à fait venue, la nuit muette
et noire. Il ne bougeait plus, tressaillant à tous
les bruits inconnus et légers qui passent dans
les ténèbres. Un lapin, tapant du cul au bord
d'un terrier, faillit faire s'enfuir Walter
Schnaffs. Les cris des chouettes lui déchiraient
l'âme, le traversant de peurs soudaines, doulou-
reuses comme des blessures. Il écarquillait ses
gros yeux pour tâcher de voir dans l'ombre;
et il s'imaginait à tout moment entendre marcher près de lui.

Après d'interminables heures et des angoisses
de damné, il aperçut, à travers son plafond de
branchages, le ciel qui devenait clair. Alors, un
soulagement immense le pénétra; ses membres
se détendirent, reposés soudain; son cœur
s'apaisa; ses yeux se fermèrent. Il s'endormit.

Quand il se réveilla, le soleil lui parut arrivé à peu près au milieu du ciel; il devait être midi. Aucun bruit ne troublait la paix morne des champs; et Walter Schnaffs s'aperçut qu'il était atteint d'une faim aiguë.

Il bâillait, la bouche humide à la pensée du saucisson, du bon saucisson des soldats; et son estomac lui faisait mal.

Il se leva, fit quelques pas, sentit que ses jambes étaient faibles, et se rassit pour réfléchir. Pendant deux ou trois heures encore, il établit le pour et le contre, changeant à tout moment de résolution, combattu, malheureux, tiraillé par les raisons les plus contraires.

Une idée lui parut enfin logique et pratique, c'était de guetter le passage d'un villageois seul, sans armes, et sans outils de travail dangereux, de courir au-devant de lui et de se remettre en ses mains en lui faisant bien comprendre qu'il se rendait.

Alors il ôta son casque, dont la pointe le pouvait trahir, et il sortit sa tête au bord de son trou, avec des précautions infinies.

Aucun être isolé ne se montrait à l'horizon. Là-bas, à droite, un petit village envoyait au

ciel la fumée de ses toits, la fumée des cuisines!
Là-bas à gauche, il apercevait, au bout des
arbres d'une avenue, un grand château flanqué
de tourelles.

Il attendit jusqu'au soir, souffrant affreusement, ne voyant rien que des vols de corbeaux,
n'entendant rien que les plaintes sourdes de ses
entrailles.

Et la nuit encore tomba sur lui.

Il s'allongea au fond de sa retraite et il s'endormit d'un sommeil fiévreux, hanté de cauchemars, d'un sommeil d'homme affamé.

L'aurore se leva de nouveau sur sa tête. Il se
remit en observation. Mais la campagne restait
vide comme la veille; et une peur nouvelle
entrait dans l'esprit de Walter Schnaffs, la peur
de mourir de faim! Il se voyait étendu au fond
de son trou, sur le dos, les deux yeux fermés.
Puis des bêtes, des petites bêtes de toute sorte
s'approchaient de son cadavre et se mettaient à
le manger, l'attaquant partout à la fois, se glissant sous ses vêtements pour mordre sa peau
froide. Et un grand corbeau lui piquait les yeux
de son bec effilé.

Alors, il devint fou, s'imaginant qu'il allait

s'évanouir de faiblesse et ne plus pouvoir marcher. Et déjà, il s'apprêtait à s'élancer vers le
village, résolu à tout oser, à tout braver, quand
il aperçut trois paysans qui s'en allaient aux
champs avec leurs fourches sur l'épaule, et il
se replongea dans sa cachette.

Mais, dès que le soir obscurcit la plaine, il
sortit lentement du fossé, et se mit en route,
courbé, craintif, le cœur battant, vers le château
lointain, préférant entrer là-dedans plutôt qu'au
village qui lui semblait redoutable comme une
tanière pleine de tigres.

Les fenêtres d'en bas brillaient. Une d'elles
était même ouverte; et une forte odeur de viande
cuite s'en échappait, une odeur qui pénétra
brusquement dans le nez et jusqu'au fond du
ventre de Walter Schnaffs; qui le crispa, le fit
haleter, l'attirant irrésistiblement, lui jetant au
cœur une audace désespérée.

Et brusquement, sans réfléchir, il apparut,
casqué, dans le cadre de la fenêtre.

Huit domestiques dînaient autour d'une
grande table. Mais soudain une bonne demeura
béante, laissant tomber son verre, les yeux fixes.
Tous les regards suivirent le sien!

On aperçut l'ennemi!

Seigneur! les Prussiens attaquaient le château!...

Ce fut d'abord un cri, un seul cri, fait de huit cris poussés sur huit tons différents, un cri d'épouvante horrible, puis une levée tumultueuse, une bousculade, une mêlée, une fuite éperdue vers la porte du fond. Les chaises tombaient, les hommes renversaient les femmes et passaient dessus. En deux secondes, la pièce fut vide, abandonnée, avec sa table couverte de mangeaille en face de Walter Schnaffs stupéfait, toujours debout dans sa fenêtre.

Après quelques instants d'hésitation, il enjamba le mur d'appui et s'avança vers les assiettes. Sa faim exaspérée le faisait trembler comme un fiévreux : mais une terreur le retenait, le paralysait encore. Il écouta. Toute la maison semblait frémir; des portes se fermaient, des pas rapides couraient sur le plancher du dessus. Le Prussien inquiet tendait l'oreille à ces confuses rumeurs; puis il entendit des bruits sourds comme si des corps fussent tombés dans la terre molle, au pied des murs, des corps humains sautant du premier étage.

Puis tout mouvement, toute agitation cessèrent et le grand château devint silencieux
comme un tombeau.

Walter Schnaffs s'assit devant une assiette
restée intacte, et il se mit à manger. Il mangeait
par grandes bouchées comme s'il eût craint
d'être interrompu trop tôt, de n'en pouvoir
engloutir assez. Il jetait à deux mains les mor-
ceaux dans sa bouche ouverte comme une
trappe; et des paquets de nourriture lui descendaient coup sur coup dans l'estomac, gonflant sa
gorge en passant. Parfois, il s'interrompait, prêt
à crever à la façon d'un tuyau trop plein. Il prenait alors la cruche de cidre et se déblayait
l'œsophage comme on lave un conduit bouché.

Il vida toutes les assiettes, tous les plats et
toutes les bouteilles; puis, soûl de liquide et
de mangeaille, abruti, rouge, secoué par des
hoquets, l'esprit troublé et la bouche grasse, il
déboutonna son uniforme pour souffler, incapable d'ailleurs de faire un pas. Ses yeux se
fermaient, ses idées s'engourdissaient; il posa
son front pesant dans ses bras croisés sur la
table, et il perdit doucement la notion des choses
et des faits.

Le dernier croissant éclairait vaguement l'horizon au-dessus des arbres du parc. C'était l'heure froide qui précède le jour.

Des ombres glissaient dans les fourrés, nombreuses et muettes; et parfois, un rayon de lune faisait reluire dans l'ombre une pointe d'acier.

Le château tranquille dressait sa haute silhouette noire. Deux fenêtres seules brillaient encore au rez-de-chaussée.

Soudain, une voix tonnante hurla :

« En avant! nom d'un nom! à l'assaut! mes enfants! »

Alors, en un instant, les portes, les contrevents et les vitres s'enfoncèrent sous un flot d'hommes qui s'élança, brisa, creva tout, envahit la maison. En un instant cinquante soldats armés jusqu'aux cheveux, bondirent dans la cuisine où reposait pacifiquement Walter Schnaffs, et, lui posant sur la poitrine cinquante fusils chargés, le culbutèrent, le roulèrent, le saisirent, le lièrent des pieds à la tête.

Il haletait d'ahurissement, trop abruti pour comprendre, battu, crossé et fou de peur.

Et tout d'un coup, un gros militaire chamarré d'or lui planta son pied sur le ventre en vociférant :

« Vous êtes mon prisonnier, rendez-vous! »

Le Prussien n'entendit que ce seul mot « prisonnier », et il gémit : « *Ya, ya, ya.* »

Il fut relevé, ficelé sur une chaise, et examiné avec une vive curiosité par ses vainqueurs qui soufflaient comme des baleines. Plusieurs s'assirent, n'en pouvant plus d'émotion et de fatigue.

Il souriait, lui, il souriait maintenant, sûr d'être enfin prisonnier!

Un autre officier entra et prononça :

« Mon colonel, les ennemis se sont enfuis; plusieurs semblent avoir été blessés. Nous restons maîtres de la place. »

Le gros militaire qui s'essuyait le front vociféra : « Victoire! »

Et il écrivit sur un petit agenda de commerce tiré de sa poche :

« Après une lutte acharnée, les Prussiens ont dû battre en retraite, emportant leurs morts et leurs blessés, qu'on évalue à cinquante hommes hors de combat. Plusieurs sont restés entre nos mains. »

Le jeune officier reprit :

« Quelles dispositions dois-je prendre, mon colonel? »

Le colonel répondit :

« Nous allons nous replier pour éviter un retour offensif avec de l'artillerie et des forces supérieures. »

Et il donna l'ordre de repartir.

La colonne se reforma dans l'ombre, sous les murs du château, et se mit en mouvement, enveloppant de partout Walter Schnaffs garrotté, tenu par six guerriers le revolver au poing.

Des reconnaissances furent envoyées pour éclairer la route. On avançait avec prudence, faisant halte de temps en temps.

Au jour levant, on arrivait à la sous-préfecture de La Roche-Oysel, dont la garde nationale avait accompli ce fait d'armes.

La population anxieuse et surexcitée attendait. Quand on aperçut le casque du prisonnier, des clameurs formidables éclatèrent. Les femmes levaient les bras; des vieilles pleuraient; un aïeul lança sa béquille au Prussien et blessa le nez d'un de ses gardiens.

Le colonel hurlait.

« Veillez à la sûreté du captif. »

On parvint enfin à la maison de ville. La prison fut ouverte, et Walter Schnaffs jeté dedans, libre de liens. Deux cents hommes en armes montèrent la garde autour du bâtiment.

Alors, malgré des symptômes d'indigestion qui le tourmentaient depuis quelque temps, le Prussien, fou de joie, se mit à danser, à danser éperdument, en levant les bras et les jambes, à danser en poussant des cris frénétiques, jusqu'au moment où il tomba, épuisé, au pied d'un mur.

Il était prisonnier! Sauvé!

C'est ainsi que le château de Champignet fut repris à l'ennemi après six heures seulement d'occupation.

Le colonel Ratier, marchand de drap, qui enleva cette affaire à la tête des gardes nationaux de La Roche-Oysel, fut décoré.

TABLE

IMPRIMÉ EN FRANCE PAR BRODARD ET TAUPIN
7, bd Romain-Rolland - Montrouge - Usine de La Flèche.
LE LIVRE DE POCHE -

ISBN : 2 - 253 - 00677 - 7   30/1539/3